Les oreilles

Examinez très régulièrement les oreilles de votre chien, vous éviterez ainsi qu'une infection, au départ bénigne, se propage. Méfiez-vous de la présence de poussières ou de croûtes dans les cavités auriculaires, des mauvaises odeurs, d'un gonflement inhabituel du pavillon de l'oreille ou de la présence de corps étrangers. Chez certaines races, comme les caniches, le canal de l'oreille est étroit, ce qui favorise la formation de bouchon de cérumen.

Les pattes

Méfiez-vous des ongles cassés ou fendus ainsi que des coussinets abîmés. Il faut également être très attentif aux rougeurs et aux inflammations entre les orteils ou les coussinets, au poils emmêlés entre les orteils et à la présence de corps étrangers.

Les poils et la peau

L'eczéma vient largement en tête des maladies de peau des chiens. Particulièrement fréquent, il est en général difficile d'en découvrir la cause. Les démangeaisons et les rougeurs annoncent souvent un problème de peau, et il faut donc surveiller avec attention l'apparition de plaques rouges, de desquamation ou de croûtes. Il est également nécessaire de protéger votre chien contre les parasites tels que les puces, les tiques ou encore les poux ; pensez enfin à extraire correctement les échardes, les épines, les épillets... qui auraient pu se ficher peu profondément.

Toilettage et entretien

Les races de chiens de compagnie qui vous sont présentées dans cet ouvrage ont des contraintes d'entretien extrêmement variables : certaines, à poil ras, ne requièrent éventuellement qu'un coup de brosse, d'autres ont un poil qui demande beaucoup d'entretien et doivent être toilettées régulièrement.
Le toilettage est une affaire de goût mais peut devenir une contrainte incontournable si l'on souhaite exposer son chien. En effet, pour les races qui doivent être toilettées, un chien qui n'est pas préparé selon le standard de race ne peut prétendre à la participation à une exposition de beauté. Si vous n'êtes pas un mordu des expositions, vous n'êtes donc pas obligé d'aller chez le toiletteur tous les mois. Mais si vous ne voulez pas vous promener avec une boule de poils informe au bout de la laisse, un minimum d'entretien s'impose.

Entretien

• **Dents :** Habituez votre chiot à la brosse à dents dès le début. Dans un premier temps, posez la brosse sur ses dents, sans la bouger. Petit à petit, brossez doucement, d'abord à l'eau, puis avec du dentifrice.
• **Yeux :** Passez régulièrement une compresse imbibée d'eau tiède, de sérum physiologique ou d'un produit nettoyant (demandez conseil à votre vétérinaire ou à votre pharmacien) pour ôter le mucus et les croûtes éventuelles.
• **Oreilles :** Vous pouvez nettoyer le pavillon de l'oreille avec un coton imbibé d'un produit nettoyant, mais n'utilisez jamais de coton-tige : il risquerait de pousser vers le tympan le cérumen ou les saletés. Il est préférable d'utiliser un produit nettoyant liquide adapté aux chiens.
• **Pattes :** En principe, les griffes s'usent d'elles-mêmes. Mais si elles sont trop longues, vous pouvez les couper avec une pince à guillotine (vendue en animalerie). Il faut faire bien attention à ne pas les couper trop court : évitez absolument la pulpe rose que l'on aperçoit par transparence. Vous pouvez demander à votre vétérinaire de vous montrer comment procéder.
• **Poils et peau :** Un brossage régulier permet d'éviter la plupart des problèmes de poils et de peau. Suivant la texture du poil, ce brossage devra être fait une ou deux fois par semaine pour les chiens à poil long, ou au moment de la mue pour les races à poil ras. Vous devrez veiller à ce que votre animal soit toujours protégé par un produit antiparasitaire. Ceci est très important car de nombreuses maladies sont véhiculées par les parasites (puces, tiques, moustiques).

Le bain

Il n'est pas recommandé de baigner un chien trop souvent, ce qui affaiblit la texture de son poil. Utilisez un shampoing pour chiens mais évitez a priori les produits pour humains. Si vous n'avez pas de shampoing spécifique, vous pouvez utiliser en dépannage du savon de Marseille, qui convient tout à fait au poil du chien. Utilisez de l'eau tiède et pensez à poser un tapis de caoutchouc pour que votre chien ne glisse pas. Mouillez progressivement et shampouinez la fourrure en massant bien pour que le produit pénètre. Rincez jusqu'à ce que l'eau soit claire. Après le bain, enveloppez votre chien dans une grande serviette chaude et frottez-le jusqu'à ce que sa fourrure cesse de goutter. Utilisez un séchoir (puissance minimale), si le bruit de cet engin ne le terrorise pas, ou placez-le dans une pièce chauffée. Tenez-le à l'écart des courants d'air jusqu'à ce qu'il soit complètement sec.

ADRESSES UTILES

AFIRAC (Association française d'information et de recherche sur l'animal de compagnie)
32, rue de Trévise 75009 Paris – 01 56 03 12 00 – www.afirac.org

CNSPA (Confédération nationale des sociétés protectrices des animaux)
17, place Bellecour 69292 Lyon Cedex – 04 78 37 83 21

Commission nationale d'éducation et d'agility
Rue de Coussac 67610 La Wantzenau – 03 88 96 22 10

École nationale vétérinaire d'Alfort
7, av. du Général-de-Gaulle 94701 Maison-Alfort – 01 43 96 71 00 – www.vet-alfort.fr

FCI (Fédération cynologique internationale)
13, place Albert-1er 6530 Thuin Belgique – 00 32 71 59 12 38 – www.fci.be

Fondation assistance aux animaux
23, av de la République 75011 Paris – 01 43 55 76 57

Fondation Brigitte Bardot
45, rue Vineuse 75116 Paris – 01 45 05 14 60 – www.fondationbrigittebardot.fr

Fondation 30 millions d'amis
B.P. 107 3, rue de l'Arrivée 75749 Paris Cedex 15 – 01 45 38 70 06

SCC (Société centrale canine)
155, av. Jean-Jaurès 93535 Aubervilliers Cedex – 01 49 37 54 00 – Fichier Central : 01 49 37 54 54

SPA (Société protectrice des animaux)
39, bd Berthier 75017 Paris – 01 43 80 40 66 – www.spa.asso.fr

SNPC (Syndicat national des professionnels du chien)
Rue des Paulines 63390 Saint-Gervais-d'Auvergne – 04 73 85 83 67

Société cynologique suisse
8, Langgassstraße Case postale 8217 3001 Berne Suisse – 00 41 31 30 62 62 – www.skg-scs.ch

Union royale cynologique Saint-Hubert
98, av. A.-Giraud 1030 Bruxelles Belgique – 00 32 22 45 48 40

Les races

Les terriers

L

Les terriers ont vraisemblablement des origines fort anciennes (leur première description remonte au Ier siècle ap. J.-C.) et sont sans doute nés dans les îles Britanniques. Jusqu'au XIXe siècle, les races n'étaient pas distinguées

les unes des autres et tous les terriers étaient indifféremment utilisés pour la chasse aux nuisibles. En meute ou individuellement, ils n'avaient pas leur pareil pour débusquer renards, belettes ou blaireaux de leurs tanières. À partir du début du XXe siècle, l'homme commença à opérer une sélection, visant à adoucir leur tempérament afin de les rendre aptes à la vie en ville et à devenir de parfaits petits compagnons, vifs et gais. Aujourd'hui, les terriers sont particulièrement appréciés comme chiens de compagnie par ceux qui recherchent un petit chien ayant un caractère bien affirmé.

Australian-terrier

Syn. : Terrier australien

• **HISTORIQUE :** L'un des rares terriers à ne pas être originaire de Grande-Bretagne, l'australian, est le résultat d'un cocktail détonant entre plusieurs races. En effet, l'isolement de l'Australie a permis de déterminer avec précision quels terriers étaient à son origine : cairn, skye, dandie-dinmont, scottish, irish, et bien sûr yorkshire, avec lequel il présente une grande ressemblance. L'australian fit ses premières apparitions officielles aux expositions canines de la fin du XIXe siècle à Sydney.

• **ASPECT PHYSIQUE :** Vigoureux et bas sur pattes, il a un poil rêche et non toiletté, qui forme autour de son cou une collerette. Celle-ci, alliée à une tête longue et forte, lui donne un air rustique. Son museau est fort et puissant, sa mâchoire redoutable. L'australian-terrier a de petits yeux ovales, à l'expression vive. Ses oreilles sont petites, dressées et pointues. Sa robe peut être bleue, avec des marques feu intense, sable clair ou rouge.

Le poil rêche et hirsute de l'australian lui donne un petit air ébouriffé.

• **COMPORTEMENT :** Essentiellement terrier de travail, l'australian, grâce à sa fidélité et à son égalité d'humeur, peut être un excellent chien de compagnie. Véritable « terreur », il a un tempérament de feu et ne reste pas très longtemps en place. Il sait néanmoins se montrer un compagnon enjoué et agréable à condition de pouvoir prendre suffisamment d'exercice.

• **APTITUDES :** Créé pour chasser les rongeurs, il était également capable de se mesurer aux serpents australiens. Très bon avertisseur, il pouvait garder les fermes isolées. Combatif, il ne recule devant aucun adversaire !

Excellent compagnon, l'australian a toutefois un tempérament qu'il faut savoir canaliser.

STANDARD

Taille : environ 25 cm au garrot.
Poids : environ 6,5 kg.
Longévité : 14 ans.

Bedlington-terrier

• **HISTORIQUE :** Très ancienne race de terrier, le bedlington est né dans le nord de l'Angleterre où il était déjà stabilisé au XVIIIe siècle. Issu du croisement de caniches, de dandie-dinmont et de whippets, il était très apprécié par les mineurs. En effet, il chassait les rats dans les galeries et se révélait un très bon traqueur de lièvres, de blaireaux et de renards en surface. L'apport de sang whippet permit son engagement dans des courses avec paris, très populaires au XIXe siècle.

• **ASPECT PHYSIQUE :** Sa tête en forme de poire, son air de mouton et ses pattes arrière, qui semblent plus hautes que les pattes avant, donnent au bedlington une silhouette tout à fait unique. Son corps est long et musclé, ses yeux sont petits, brillants et bien enfoncés dans les orbites. Les oreilles sont oblongues et attachées bas. Les couleurs admises sont le bleu, le marron ou le sable, avec ou sans marques feu.

• **COMPORTEMENT :** Le bedlington a gardé de ses ancêtres un grand besoin d'activité : faute de pouvoir se dépenser tout son soûl, il pourrait devenir destructeur. Très vif, de tempérament actif, il n'est pas pour autant aboyeur. Son caractère affectueux fait qu'il est très proche de ses maîtres et cherche par tous les moyens à les satisfaire. Doux avec les enfants, il saura partager leurs jeux à l'infini !

• **APTITUDES :** De son ancien « métier », le bedlington a gardé une curiosité naturelle et une grande propension à poursuivre tout ce qui bouge ! Mais si, aujourd'hui, il n'est plus utilisé à la chasse au terrier, c'est qu'il a su se reconvertir avec bonheur dans la vie de chien de compagnie idéal !

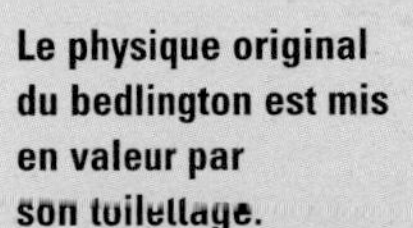

Le physique original du bedlington est mis en valeur par son toilettage.

STANDARD

Taille : environ 41 cm.
Poids : de 8,2 à 10,4 kg.
Longévité : 13 ans.

Border-terrier

• **Historique :** Originaire des monts Cheviot, à la frontière *(border)* entre l'Écosse et l'Angleterre, le border-terrier existe depuis fort longtemps. Des gravures du XVIIe siècle attestent sa présence auprès des nobles, qui l'utilisaient à la chasse à courre du renard. La race a été vraisemblablement fixée au XIXe siècle par le croisement de plusieurs terriers, entre autres le dandie-dinmont et le lakeland, et sans doute le bedlington. Excellent chasseur, il fut sélectionné pour sa taille, qui lui permettait de poursuivre un renard dans sa tanière. Il était également assez robuste pour suivre un cheval sans effort. Mais ce petit costaud avait aussi conquis le cœur des paysans : gardien intraitable, il protégeait les animaux de basse-cour des prédateurs. Malgré sa popularité, la race ne fut reconnue que fort tardivement, au début du XXe siècle.

• **Aspect physique :** Excellent chasseur de loutre, le border lui ressemble étrangement ! Il a une truffe noire et un museau court et fort. Ses mâchoires sont très puissantes et ses yeux foncés, à l'expression vive. Ses oreilles sont petites, en forme de V, d'épaisseur moyenne et tombant vers l'avant contre la joue. Le corps du border-terrier est haut, étroit et assez long. Sa queue est modérément courte et épaisse à la base, attachée haut et portée gaiement. La peau est très épaisse, le poil est dur et dense, avec un sous-poil serré. Sa fourrure doit lui permettre de bien résister aux intempéries. Les couleurs autorisées sont le rouge, le froment, le grisonné et feu ou le bleu et feu.

• **Comportement :** Pur terrier de travail, le border a néanmoins su s'accommoder à la compagnie. Sa petite taille lui permet de s'adapter à la vie en appartement et à toutes les circonstances de la vie en ville. Mais s'il vit en maison, attention aux plates-bandes ! Il a gardé son

Malgré sa petite taille, le border a besoin de beaucoup d'exercice.

L'anecdote

Ulrich Klever fit une description amusante du border en 1959 : « Le bon border doit avoir les pattes assez longues pour suivre un chasseur à cheval, mais assez courtes pour forcer un renard jusqu'à l'intérieur de son terrier ; le cœur assez solide pour supporter la fatigue d'une chasse à courre ; l'humeur assez pacifique pour s'entendre avec les fox-terriers de la meute ; enfin le museau assez court, donc des mâchoires assez fortes, pour qu'il puisse, d'un seul coup de dent, partager en deux un rat... Le border-terrier Paddy, arrivé aux USA en 1925, sauva la vie à quarante-neuf personnes ; il en fut récompensé par vingt-deux médailles et coupes. »

Toujours à l'affût d'une proie, le border peut faire le siège d'un terrier pendant des heures !

âme de terrier et n'hésitera pas à faire le siège du moindre trou, guettant pendant des heures un mulot ou une musaraigne. Très sociable, il est rarement agressif et fait un chien de compagnie fort agréable. D'autre part, fidèle à ses maîtres, il est intelligent et facile à éduquer. Il est estimé pour sa robustesse, son bon caractère et sa gentillesse avec les enfants.

• **Aptitudes :** Toujours très apprécié pour la chasse sous terre, le border est un terrier dans l'âme. En permanence à l'affût de proies, il aimera par-dessus tout de grandes promenades avec son maître, pendant lesquelles il pourra aller fouiner dans chaque buisson. Très actif, s'il ne chasse pas, il aura besoin de se dépenser en balades ou en activités, telle l'agility, qui lui permettent de décharger son trop-plein d'énergie.

Autrefois chasseur de loutre, le border lui ressemble étrangement !

Standard

Taille : environ 30 cm au garrot.
Poids : de 5 à 7 kg.
Longévité : 14 ans.

Boston-terrier

Syn. : Terrier de Boston

• **Historique :** Première race créée par les Américains, le boston-terrier est issu de chiens de combat. En effet, le bulldog anglais, qui affrontait des taureaux, avait été allégé au XIXe siècle après l'interdiction des combats. Ceux-ci perdurèrent dans des arrière-cours, contre des chiens, mais avec des animaux plus légers, résultant du croisement entre le bulldog et des terriers. L'un de ces chiens fut exporté aux États-Unis, où les combats avaient beaucoup de succès. Sur le continent américain, il fut croisé avec d'autres sujets résultant eux-mêmes de l'accouplement de bulldogs et de terriers. Il fut, de plus, vraisemblablement croisé avec des bouledogues français, héritant de ceux-ci la forme particulière de la tête et le caractère affable. En 1893, la race fut officiellement reconnue par l'American Kennel Club.

• **Aspect physique :** D'allure compacte, bien proportionné, le boston-terrier donne une impression de force, de détermination et d'activité. Son corps a une forme carrée caractéristique et il ne doit être ni maigrelet, ni trop gras. Son crâne est carré et plat sur le sommet. Son museau est court avec une truffe noire et large. Ses oreilles sont petites, portées droites et ses yeux sont grands et ronds, de couleur foncée. Sa queue courte est attachée bas, et va en s'effilant vers son extrémité. Le poil du boston-terrier est court, lisse, brillant et de texture fine. Il peut être bringé, de couleur phoque ou noir panaché de blanc.

Descendant des chiens de combat, le boston a pourtant un caractère affable.

• **Comportement :** Malgré un arbre généalogique qui le révèle, à l'origine, des plus... combatifs, le boston-terrier est un chien très sociable, qui s'entend très bien avec ses congénères et les autres animaux. Très vif et toujours en mouvement comme ses ancêtres terriers, il adore faire le pitre pour plaire à ses maîtres. Peu remuant et pas aboyeur pour deux sous, il s'adapte parfaitement à la vie en appartement. Très proche des enfants, il est très patient avec eux et restera flegmatique quels que soient leurs jeux. Sans aucune méchanceté, il saura toujours se faire respecter, même des plus remuants. Le boston-terrier est très obéissant et peut suivre son maître un peu partout sans se faire remarquer.

Très sociable, le boston s'adapte à toutes les situations.

• **APTITUDES :** Le boston-terrier n'a pas véritablement gardé d'aptitudes pour le combat ou pour la chasse sous terre. Mais il a conservé son âme de gardien ! À tel point que les Américains le considèrent parfois comme un chien de défense (il est un peu plus lourd aux États-Unis qu'en Europe). Il saura donc défendre avec fougue sa demeure et ceux qui l'habitent, les avertissant de l'arrivée d'étrangers. Par ailleurs, sa vivacité, son intelligence et son désir de plaire à son maître en font un candidat parfait pour l'agility !

STANDARD

Taille : environ 30 cm au garrot.
Poids : de 6,8 à 11,3 kg.
Longévité : 13 ans.

Le boston-terrier a hérité du bouledogue français sa tête en forme de pomme.

Cairn-terrier

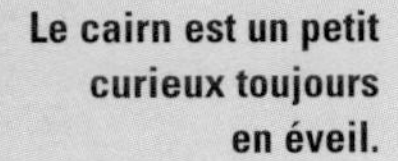

Le cairn est un petit curieux toujours en éveil.

• **HISTORIQUE :** Le cairn-terrier est originaire de Skye, une île d'Écosse, et doit son nom aux cairns, de petits monticules de cailloux qui étaient édifiés pour indiquer un carrefour. Au fil des ans, ces tertres furent peu à peu oubliés, les ronces et les mauvaises herbes les envahirent et les renards, blaireaux et autres nuisibles y élurent domicile. Des terriers de petite taille, aux pattes courtes et à l'épaisse fourrure protectrice les chassaient et prirent tout naturellement le nom de leur territoire de chasse de prédilection. Malheureusement, cette chasse n'étant pas considérée comme « noble », ces petits chiens agiles restèrent longtemps dans l'ombre. C'est au XIXe siècle que le cairn fit véritablement son entrée dans le monde de la cynophilie : il fut présenté pour la première fois sous le nom de skye-terrier à poil court en 1860. Il faut attendre 1912 pour que le Kennel Club le reconnaisse et autorise son inscription au Livre des origines français sous le nom que nous lui connaissons actuellement.

• **ASPECT PHYSIQUE :** Bien campé sur ses pattes, avec un corps compact et solide, c'est un chien à la mâchoire forte et au museau puissant, de longueur moyenne, pas trop pointu, et à la truffe noire. Ses yeux sont d'une couleur foncée, presque noire, et nettement enfoncés dans les orbites. Les oreilles sont petites, bien attachées, et doivent être plutôt écartées. Les membres sont droits et les épaules bien inclinées. Les pieds sont ronds et les coussinets épais. La queue est naturellement courte et portée légèrement en oblique, mais elle ne doit pas se retourner sur le dos. Le poil du cairn est double : un poil de couverture abondant et dur et un sous-poil court, doux et serré. Les couleurs admises sont rouge, sable, gris, bringé ou presque noir.

• COMPORTEMENT : Le cairn est un petit compagnon vif, intrépide, toujours en mouvement. Curieux de tout, il restera à vos côtés pendant des heures, épiant le moindre de vos gestes. Affectueux et proche de ses maîtres, il n'aime rien tant que rester en compagnie de tout son petit monde, au risque de se montrer parfois un peu envahissant ! Très vif, c'est un compagnon de jeu merveilleux pour les enfants, mais dont il sait se tenir à l'écart quand il veut un peu de tranquillité. Il s'entend bien avec les autres chiens et avec les chats, sous réserve que les présentations aient été faites dans les règles. Malgré sa petite taille, il saura imposer ses quatre volontés au plus costaud des molosses.

• APTITUDES : Le cairn est, bien sûr, très doué pour la chasse et vous pouvez lui faire pratiquer la chasse sous terre. Après son éducation de base, vous le placerez devant un terrier. Curieux de nature, il aura envie d'y pénétrer, surtout s'il est plein d'odeurs d'animaux sauvages. Le dressage est généralement très rapide et passe vite du jeu au travail. La pratique du déterrage permet de conserver les aptitudes naturelles de la race, qui apprécie toujours de pratiquer ses activités ancestrales.

Le cavage est une discipline exercée depuis l'Antiquité pour trouver les truffes. Le cairn y excelle et il sera facile de l'éduquer à chercher les fameux diamants noirs.

Enfin, l'agility permet au cairn de défouler son trop-plein d'énergie : concurrent énergique, il adore faire des parcours. Ces moments sont aussi pour lui l'occasion de passer du temps avec son maître et de lui faire plaisir.

STANDARD

Taille : de 27 à 31 cm au garrot.
Poids : de 7 à 8 kg.
Longévité : 14 ans.

Dandie-dinmont-terrier

• **Historique :** On raconte qu'au XVIIe siècle, en Angleterre, dans une région appelée Border (frontière), car elle séparait l'Écosse de l'Angleterre, un certain Willy « Piper » Allan possédait des terriers à poil dur et courts sur pattes, qu'il utilisait pour chasser les nuisibles. Après sa mort en 1704, sa famille continua l'élevage. Le dandie-dinmont est sans doute le résultat de croisements entre plusieurs races de terriers. Il porte le nom d'un personnage du roman de Walter Scott, *Guy Mannering*.

• **Aspect physique :** Bas sur pattes, le dandie-dinmont a un corps long comparable à celui d'une belette. Sa tête est très caractéristique, avec un front bombé et un museau allongé. Ses yeux sont grands et de couleur noisette. Sa queue est courte et épaisse à la naissance. Son poil double (un sous-poil doux et un poil de couverture dur) peut être poivre ou moutarde.

• **Comportement :** Très facile à vivre, le dandie-dinmont s'accommode aussi bien d'une vie à la ville qu'à la campagne. Très sociable, il s'entend très bien avec ses congénères. Docile et souple, il recherche la compagnie des adultes comme celle des enfants.

Standard

Taille : de 25 à 30 cm au garrot.
Poids : de 8 à 11 kg.
Longévité : 14 ans.

• **Aptitudes :** Aujourd'hui, le dandie-dinmont n'est plus un infatigable chasseur de rongeurs, et il s'accommodera fort bien d'une vie citadine, à condition d'être régulièrement promené à la campagne, où il pourra s'ébattre en toute tranquillité. Sa grosse voix, étonnante chez un si petit chien, peut très bien faire office d'avertisseur.

Le dandie-dinmont a besoin de se défouler à la campagne.

Fox-terrier

Le fox a une tête caractéristique, au crâne plat.

• **HISTORIQUE :** La chasse à cheval a toujours été l'une des distractions préférées de la noblesse anglaise, qui utilisait alors des chiens courants, de vrais traqueurs, infatigables dans la poursuite.

Pourtant, il y avait un petit inconvénient : certaines bêtes poursuivies, comme le renard, étaient capables de se réfugier dans un trou. Finis la joie de la course, les aboiements, les cris, le son des cors... Les chasseurs cherchèrent donc un chien capable de forcer la proie dans son terrier et découvrirent un animal utilisé depuis fort longtemps par les paysans pour détruire les nuisibles. La sélection du fox commença alors. La race est vraisemblablement issue de terriers comme le black and tan, le manchester, le white-english-terrier (aujourd'hui disparu), mais on y trouve également du bulldog et du beagle. Courant dans la meute avec leurs cousins fox-hounds, les fox-terriers intervenaient dans les galeries dès que le renard s'y cachait. Il est probable que la sélection s'est affirmée dès 1820, et en 1876 le club de race est créé. En France, la race apparaît vers 1892, et le premier club français, la Réunion des amateurs de fox-terriers, est créé en 1906.

• **ASPECT PHYSIQUE :** La tête est caractéristique avec un crâne plat peu différencié en longueur, de petites oreilles en V, pliées en avant sur les joues. Le dos est court, la poitrine profonde, les pieds sont ronds et compacts, la queue

Le fox-terrier est un excellent chasseur et un très bon compagnon.

Le fox a besoin de sorties régulières pour se défouler.

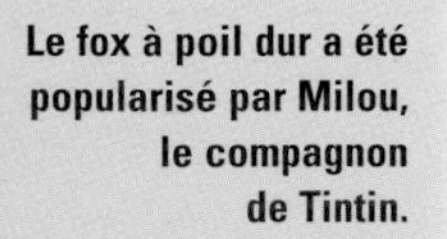

Le fox à poil dur a été popularisé par Milou, le compagnon de Tintin.

est de bonne longueur (pour être saisie à la main afin de sortir le chien du terrier) et portée gaiement. Dans la couleur de la robe, c'est le blanc qui domine, et elle peut avoir des marques tan, noires ou noir et feu.

• **COMPORTEMENT :** Le fox-terrier est fait pour l'action et le grand air, mais il supporte assez bien la solitude en raison de son caractère plutôt indépendant. Il est toujours en éveil et assez batailleur : attention aux rencontres avec ses congénères qui peuvent se révéler explosives ! Bon gardien, il aboie à la moindre alerte et se porte au-devant de l'intrus, bien décidé à s'imposer sans pour autant jouer des dents. En famille, il est facétieux et partage bien volontiers les jeux des enfants. S'il est un peu malmené par eux, il s'en ira plutôt que de montrer les dents, ce qui n'est pas dans ses habitudes ! Très dynamique, il a besoin de se dépenser, et s'il vit en appartement, il faudra impérativement le sortir longuement plusieurs fois par jour.

• **APTITUDES :** Le fox-terrier est champion toutes catégories du déterrage ! Il fait d'ailleurs partie des trois races de terriers soumises obligatoirement à des épreuves de travail pour obtenir leur pedigree. La chasse sous terre implique la capture de l'animal sauvage par des fox-terriers spécialement entraînés. Le gibier principalement chassé est le renard. Celui-ci a l'avantage de la position : tapi, il voit son adversaire arriver et peut esquiver ses attaques, alors que le chien avance à l'aveuglette et risque de se perdre dans le dédale des galeries. Lorsque le chien est en danger, les chasseurs, qui restent toujours à l'écoute, s'arment de pelles et de pioches pour libérer le terrier pris au piège. Le fox-terrier considère le renard comme son ennemi héréditaire et ne reculera jamais. Il est fréquent de sortir du terrier chien et renard solidement accrochés l'un à l'autre, et plusieurs hommes doivent parfois se regrouper pour séparer ces deux adversaires de longue date.

STANDARD

Taille : moins de 39 cm au garrot.
Poids : de 7 à 8 kg.
Longévité : 10 ans.

Irish-terrier

Syn. : Terrier irlandais

En bon irlandais, l'irish porte une robe d'un roux flamboyant.

• **HISTORIQUE :** La première représentation de l'irish-terrier remonte au XVIIIe siècle, mais l'on pense qu'il est beaucoup plus ancien. Développé dans les comtés environnant la ville de Cork en Irlande du sud, il descend du rough black and tan terrier, race aujourd'hui disparue. Il a été présenté officiellement pour la première fois à l'exposition de Glasgow en 1875.

• **ASPECT PHYSIQUE :** L'irish terrier doit avoir un corps long, musclé, construit pour la course. Sa tête est longue, ses yeux sont foncés et petits. Les oreilles sont petites et en forme de V. Le terrier irlandais porte haut les couleurs de son pays : il doit être roux vif, blé ou encore orange. Une petite tache blanche est autorisée sur la poitrine.

STANDARD

Taille : environ 45 cm au garrot.
Poids : de 11,4 à 12,25 kg.
Longévité : 14 ans.

• **COMPORTEMENT :** L'irish-terrier voue à son maître une véritable dévotion ; il a un excellent tempérament avec les humains et en particulier les enfants. En revanche, il peut se montrer hargneux avec les autres chiens et les rencontres devront toujours se faire sous surveillance. Très vindicatif, il est capable de monter au créneau, même avec les plus gros chiens !

• **APTITUDES :** Autrefois très grand chasseur, il en a gardé l'instinct et une aptitude à courir très vite. Encore utilisé à la chasse au gibier d'eau ou sous terre, il fait des prouesses. Il concourt également avec succès, aux États-Unis, dans des courses de poursuite à vue sur leurre, où ses grandes enjambées forcent l'admiration.

Jack-russell-terrier

Syn. : Terrier du révérend Jack Russell

• **Historique :** Le créateur de la race, John dit « Jack » Russell, est né en 1795 à Darthmouth dans le Devon, en Angleterre. Pendant ses études à Oxford, il commence à s'intéresser à la chasse et aux chiens et fait l'acquisition de sa première femelle, Trump. Il fut ensuite nommé pasteur titulaire *(parson)* de la paroisse de Swymbridge où il officia pendant cinquante ans. C'est là qu'il se passionna véritablement pour la chasse et la sélection cynophile. Il voulait obtenir un petit chien, court sur pattes, capable de se faufiler dans les terriers. Le pasteur commença alors à croiser plusieurs types de terriers d'utilité, recherchant plus les aptitudes à la chasse qu'un extérieur homogène. Parallèlement à ses activités de sélection sur le jack-russell, le pasteur avait beaucoup travaillé sur le fox-terrier, ce qui lui valut les honneurs du monde cynophile. Il sera l'un des fondateurs du Kennel Club de Grande-Bretagne. Malheureusement, sa création ne bénéficia pas des relations de son créateur. En effet, le jack-russell gardera un type fort hétérogène jusqu'à nos jours, ce qui ne facilita pas sa reconnaissance par le Kennel Club... En fait, la race obtint sa reconnaissance officielle par la « petite porte ». Les jacks montrèrent de telles aptitudes à la chasse sous terre, que bien des veneurs en étaient des partisans inconditionnels. Chasseurs et éleveurs amateurs ont finalement fondé le premier club, le « Parson jack-russell-terrier club », en 1976. Après quelques années de querelles sur la taille supposée du chien, le Kennel Club reconnaîtra officiellement la race en 1990. La France la reconnaît le 2 janvier 1991.

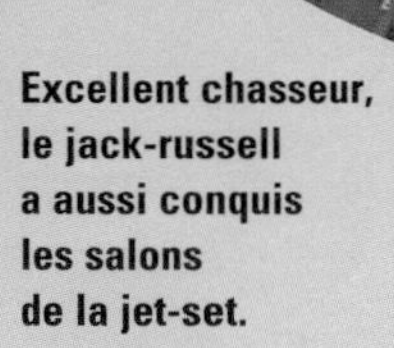

Excellent chasseur, le jack-russell a aussi conquis les salons de la jet-set.

• **Aspect physique :** Le jack-russell-terrier est un petit chien compact, sa silhouette étant celle d'un fox aux dimensions plus

Le jack-russell peut avoir le poil dur ou lisse.

réduites. Son museau est plus court que celui du fox, avec une mâchoire puissante et bien musclée. Son crâne est plat, ses oreilles, dont le pli ne doit pas dépasser le sommet du crâne, sont en forme de V. Son corps est musclé, sa queue est forte et droite, et il est d'usage de la couper à une longueur en rapport avec celle du corps, qui permette de la saisir pour sortir le chien du terrier. Le poil rêche peut être lisse ou dur, blanc ou blanc avec des marques feu, citron, noires, surtout au niveau de la tête ou à la naissance de la queue.

• **Comportement :** S'il a aujourd'hui conquis les salons, le jack-russell n'en conserve pas moins son caractère de terrier ! Têtu, son comportement est celui d'un chasseur : toujours sur le qui-vive, curieux, vif, il a parfois du mal à conserver son calme. C'est un compagnon extraordinaire pour les personnes qui désirent un chien tonique, infatigable et toujours gai. Il apprend très vite, aussi bien les bonnes manières que les mauvaises. Il faut donc l'éduquer avec fermeté et surtout ne pas le traiter comme un chien de salon : il deviendrait un tyran domestique ! Il est également un très bon avertisseur en cas de bruit suspect autour de la maison, car il a une vigilance de tous les instants.

• **Aptitudes :** Excellent chasseur sous terre, il est, avec le fox-terrier et le jagdterrier, le seul terrier soumis obligatoirement au travail. Il doit passer une épreuve de déterrage pour pouvoir être confirmé et obtenir ainsi son pedigree. Très apprécié par les chasseurs, il a conservé toutes ses aptitudes de chien de chasse.

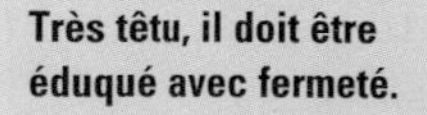

Très têtu, il doit être éduqué avec fermeté.

Standard

Taille : de 33 à 36 cm au garrot.
Poids : de 5 à 8 kg.
Longévité : de 13 à 14 ans.

Kerry-blue-terrier

• **Historique :** Originaire du comté de Kerry en Irlande, cette race vit sans doute sur l'île depuis des siècles. Comme il est un chien de ferme surtout utilisé à la chasse des nuisibles, il n'existe pas de textes se rapportant à la race, avant 1847. On y décrit alors un chien bleuâtre, couleur d'ardoise.

• **Aspect physique :** Le kerry-blue a un corps musclé et bien développé avec une tête forte. La truffe doit être noire et les yeux sont foncés ou noisette foncé. Les oreilles sont minces et petites, et la queue fine est portée gaiement. Son poil est doux, abondant et ondulé : tous les tons de bleu sont autorisés, avec ou sans extrémités noires.

• **Comportement :** Chien élégant et raffiné, le kerry-blue-terrier est un remarquable gardien, toujours en alerte. Très bon compagnon, il est gentil et gai, mais il a une forte tendance à se quereller avec ses congénères. Il n'hésitera jamais à se jeter sur plus gros que lui ! En revanche, les enfants n'ont rien à craindre de lui car il s'entend très bien avec eux. Il peut fort bien vivre en appartement, à condition de lui offrir quelques longues promenades qui lui permettront de se défouler un peu.

• **Aptitudes :** Très bon chasseur de nuisibles, il est toujours utilisé à leur poursuite ainsi qu'à la chasse au gibier d'eau. De santé robuste, sa légèreté et sa rapidité en font un concurrent redoutable en agility. Infatigable, il accompagnera avec joie ses maîtres sportifs dans de longues randonnées. Les adeptes du jogging pourront trouver là un compagnon idéal. Son caractère bien affirmé l'a même fait choisir comme chien de patrouille par la police irlandaise !

Standard

Taille : de 44,5 à 49,5 cm au garrot
Poids : de 12 à 18 kg.
Longévité : 13 ans.

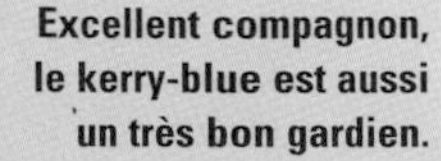

Excellent compagnon, le kerry-blue est aussi un très bon gardien.

Lakeland-terrier

• **HISTORIQUE :** Le lakeland-terrier est originaire de la région des lacs (*Lake District*) située près de la frontière avec l'Écosse. Dans cette région sauvage, les renards gris pullulaient, causant de graves dommages dans les troupeaux. Le lakeland-terrier était chargé de leur donner la chasse jusque dans leur tanière. Il est le résultat du croisement de plusieurs races de terriers, et bien qu'il existe depuis fort longtemps, il ne sera reconnu par le Kennel Club anglais qu'en 1928.

Compagnon très affectueux, le lakeland-terrier s'avère être un excellent gardien de maison.

• **ASPECT PHYSIQUE :** Le corps du lakeland-terrier est bien proportionné, compact, et s'inscrit dans un carré. Sa tête est harmonieuse, avec une truffe noire ou marron. Les yeux sont foncés et les oreilles petites, en forme de V. La poitrine du lakeland est étroite, ses membres antérieurs sont bien droits et ses membres postérieurs longs et puissants. Son poil dense peut être noir et feu, bleu et feu, rouge, rouge grisonné, froment, marron, bleu ou noir.

• **COMPORTEMENT :** Le lakeland a quelque peu perdu, au fil des années, de son agressivité et de sa fougue de terrier. Il est devenu un excellent compagnon, très affectueux, au caractère équilibré. Très proche de son maître, il vit aussi bien en ville qu'à la campagne. Exclusif et sensible, il faut l'éduquer avec douceur mais fermeté.

• **APTITUDES :** Le lakeland est un chien idéal pour le déterrage. Il excelle également à la chasse, où son poil dense le protège des intempéries. Très bon chasseur de loutres, il adore l'eau et n'hésite pas à s'y jeter à la poursuite de sa proie. Il peut aussi se montrer bon gardien de la maison.

STANDARD

Taille : de 25,5 à 28 cm au garrot.
Poids : de 8,5 à 10,5 kg.
Longévité : 14 ans.

Manchester-terrier

Syn. : Terrier de Manchester

• **Historique :** Depuis des siècles, des terriers noir et feu sont utilisés en Angleterre pour chasser les nuisibles. Un éleveur de la région de Manchester décida, au XIXe siècle, de croiser cet ancien type de terrier avec des whippets pour obtenir un chien plus léger et plus rapide. Le manchester devint une véritable star à cette époque, champion incontesté des combats contre les rats, alors très nombreux.

• **Aspect physique :** Le manchester-terrier est un chien compact, élégant et robuste. Sa tête est longue, avec un crâne plat et étroit. Ses yeux sont petits, sombres et brillants, ses oreilles petites et en V. Les membres antérieurs doivent être parfaitement droits, les postérieurs bien musclés. La queue est courte et en pointe. La seule couleur autorisée est le noir et feu.

• **Comportement :** Très agréable chien de compagnie, le manchester est parfaitement propre et son petit gabarit s'accommode fort bien de la vie en appartement. Très attaché à ses maîtres, il est plein d'ardeur et mettra de la joie et de l'animation dans la maison !

• **Aptitudes :** À notre époque, le manchester n'est plus du tout utilisé pour la chasse aux nuisibles, mais il a su se reconvertir avec bonheur dans la compagnie. Il est de plus un excellent avertisseur, qui préviendra toujours de l'arrivée d'un inconnu.

Standard

Taille : de 38 à 41 cm au garrot.
Poids : de 7 à 8 kg.
Longévité : de 13 à 14 ans.

Norfolk et norwich-terriers

Syn. : Terrier de Norfolk, terrier de Norwich

• **Historique :** Originaires des régions de Norwich et de Cambridge, dans le comté de Norfolk, ces petits terriers naquirent pendant la deuxième moitié du XIXe siècle. Un certain Roughrider Jones, maître d'équipage et piqueux, quitta un jour son maître en emportant quelques petits terriers feu auxquels ils s'était attaché, et parmi eux, un certain Rags, considéré comme l'ancêtre des deux races. L'élevage proprement dit du norfolk et du norwich commença en 1870 par des croisements successifs avec le fox, le glen of Imaal, le cairn et l'irish. Le Kennel Club anglais reconnaîtra la race en 1932, mais ce n'est qu'en 1964 que la variété à oreilles droites (le norwich) sera distinguée de la variété à oreilles tombantes (le norfolk).

• **Aspect physique :** Ce sont de petits chiens, bas sur pattes, ardents, ramassés et solides. Ils ont le corps compact et le dos court. Le stop est bien marqué. Les yeux sont de forme ovale, bien enfoncés dans les orbites et de couleur marron foncé ou noire. Chez le norfolk, les oreilles sont de taille moyenne, en forme de V, mais légèrement arrondies à l'extrémité et tombant en avant contre la joue. Chez le norwich, au contraire, elles sont droites, bien écartées à l'attache au sommet du crâne, de taille moyenne et pointues à l'extrémité. Les membres antérieurs sont courts, puissants et droits. L'arrière-main est bien musclée. Le poil est dur, en fil de fer, et droit, couché sur le corps. Il est plus long et ébouriffé sur le cou et les épaules. Couleur : tout ton de rouge, froment, noir et feu ou grisonné. Les marques blanches sont peu souhaitables mais admises.

Le norwich-terrier (ci-contre) a les oreilles pointues et dressées, alors que le norfolk (ci-dessus) a les oreilles en forme de V, tombant en avant contre la joue.

Standard

Taille : de 25 à 26 cm au garrot.
Poids : de 5 à 7 kg.
Longévité : 14 ans.

• **Comportement :** Les terriers de Norfolk et de Norwich ne sont pas des chiens de salon. Leur gabarit et leur énergie ne se satisfont pas de ce mode de vie. Ils peuvent être très heureux en appartement, mais à condition d'avoir suffisamment d'espace pour faire les quatre cents coups et vous étourdir par leur vivacité. Ils doivent être promenés régulièrement pour dépenser leur énergie, et de grandes balades en compagnie de leurs maîtres sont leur plus grand plaisir. Leur petit côté gentleman-farmer fait qu'ils sont plus attirés par la campagne que par la ville. De plus, comme ils aiment plus que tout se rouler dans la boue et fouiller les broussailles et les terriers, ils reviennent souvent fort crottés de leurs sorties... Ce qui s'accommode peu d'une vie en appartement avec tapis précieux !

• **Aptitudes :** Le rôle des terriers est de débusquer les nuisibles qui vivent sous terre et d'aller les chasser dans des boyaux où d'autres chiens plus gros ou des humains ne peuvent pénétrer. Ils doivent avoir du flair, de la ténacité, de l'énergie et beaucoup de courage. Mais aujourd'hui, norwich comme norfolk ne pratiquent plus la chasse sous terre. Dans d'autres pays (Suisse, Pays-Bas, Norvège) ils font de l'agility. En France, ils se consacrent exclusivement à la compagnie ! Mais cela ne veut pas dire qu'ils se complaisent dans le farniente ! Très sportifs, ils apprécient les grandes balades et ont besoin de se dépenser régulièrement. Occasionnellement, ils peuvent pratiquer avec succès la recherche de truffes.

Scottish-terrier

Syn. : Terrier écossais

• **Historique :** Originaire des îles Hébrides, et plus particulièrement de l'île de Skye, le scottish-terrier est longtemps resté dans l'ombre. Il ne commença à être véritablement sélectionné qu'à partir de 1850 à Aberdeen, sous l'impulsion d'un éleveur passionné, Ian Best. Son premier standard est rédigé en 1889. En France, il est resté assez longtemps méconnu, jusqu'à ce qu'un dessinateur, Pol Rab, le choisisse pour partager la vedette d'une bande dessinée avec un fox-terrier. Cousin noir du westie, il est parfois confondu à tort avec celui-ci, surtout depuis qu'une célèbre marque de whisky a choisi ces deux compères pour emblème. Sa silhouette caractéristique gagna encore en popularité après la sortie, en 1955, du dessin animé *la Belle et le Clochard.* Dans celui-ci, Walt Disney avait choisi le scottish-terrier pour incarner le personnage du Colonel, un ancien combattant écossais au cœur d'or.

L'éducation du scottish-terrier doit se faire en douceur mais très fermement, car il est d'un caractère têtu et peu souple.

• **Aspect physique :** Le scottish-terrier a un physique unique. Un grand rectangle pour le corps, un autre plus petit pour la tête et une queue toute droite, portée tel un étendard... Voilà qui ne laisse personne indifférent ! Le scottish-terrier est un chien trapu, qui donne une grande impression de puissance dans une petite taille. Sa tête est longue avec un crâne presque plat, et ses yeux foncés, assez écartés, sont enfoncés profondément sous les sourcils. Son cou est musclé et son dos bien droit. Son poil de couverture est rêche, dense et dur, en fil de fer. Les couleurs admises sont le noir, le froment ou bringé.

• **Comportement :** Dans la famille des terriers, qui compte pourtant quelques fortes têtes et quelques « forts en gueule », le scottish fait figure de champion toutes catégories des cabochards ! Toujours sûr de lui, il peut faire preuve d'un entêtement hors du commun. Son éducation doit se faire tout en douceur, avec beaucoup de patience pour ses rébellions : il n'est pas conseillé de provoquer l'affrontement, car il ne cédera pas d'un coussinet ! Il faut en revanche se montrer ferme, car il cherchera toujours à contester l'autorité de son maître. Son caractère peu souple s'accomode mal des jeux des enfants turbulents, qui se feront rappeler à l'ordre d'un grognement.

• **Aptitudes :** Très rustique malgré son costume chic, il peut s'adapter à la ville comme à la campagne, toujours prêt à faire le pitre. Dès qu'il retrouve la nature, il se jette avec délice à la poursuite de quelque animal, n'hésitant pas à farfouiller dans les broussailles, au risque de salir sa belle robe... Il n'est plus utilisé actuellement pour la chasse sous terre, mais il est un excellent avertisseur, qui préviendra sans faillir son maître de l'arrivée d'un étranger.

Standard

Taille : environ 25,5 cm au garrot.
Poids : de 8,5 à 10,5 kg.
Longévité : 12 ans.

L'anecdote

Franklin D. Roosevelt, président des États-Unis de 1933 à 1945, possédait un scottish-terrier, Fala, qui ne le quittait pas. Il « l'utilisa » même dans un discours de sa campagne électorale : « Bien sûr, les attaques ne m'affectent pas, de même pour ma famille, mais par contre, Fala y est très sensible. Vous savez, Fala est écossais, et, dès qu'il apprit que des romanciers républicains [...] avaient concocté une histoire selon laquelle, après l'avoir abandonné sur les îles Aléoutiennes, j'avais envoyé un destroyer le chercher [...] son âme écossaise devint furieuse. Il n'a pas été le même chien depuis. »

Sealyham-terrier

Le sealyham est un chien au caractère bien trempé, pour maîtres avertis.

• **HISTORIQUE :** Le sealyham-terrier est originaire du village de Sealyham, au pays de Galles. Un grand chasseur de loutres, le capitaine John O. T. Edwards, sélectionna des terriers à partir de diverses souches locales et écossaises. Il recherchait les sujets les plus combatifs et de couleur blanche, afin de les distinguer dans les fourrés. La race sera reconnue en 1911 par le Kennel Club.

• **ASPECT PHYSIQUE :** Trapu, bas sur pattes, le corps du sealyham s'inscrit dans un rectangle. Sa mâchoire est carrée et puissante, sa truffe noire. Ses yeux sont foncés et ronds. Le poil du sealyham est dur et long, en fil de fer. Les couleurs autorisées sont le blanc et le blanc avec des marques.

• **COMPORTEMENT :** Le sealyham est un compagnon autoritaire et séduisant, au caractère bien trempé. Il est vif et intrépide, mais toujours amical avec ses maîtres. Son caractère de terrier s'est quelque peu adouci au fil des années et il est devenu un parfait « gentle-dog » !

• **APTITUDES :** Le sealyham a délaissé les terriers pour une carrière réussie de chien de compagnie et d'exposition.

L'ANECDOTE

Chum, une femelle sealyham-terrier a été décorée de la Victoria Cross (la plus haute décoration militaire britannique) en 1929, pour avoir sauvé ses maîtres des flammes. Une nuit, à une heure du matin, ils furent réveillés par Chum qui grattait furieusement la porte de leur chambre. Descendant voir ce qui se passe, son maître découvre que tout le rez-de-chaussée est en flammes. Chum resta au pied du lit de sa maîtresse en attendant les secours…

STANDARD

Taille : 31 cm maximum au garrot.
Poids : de 8 à 9 kg.
Longévité : 14 ans.

Silky-terrier

Syn. : Terrier de soie

• **Historique :** Le silky est l'un des rares terriers à ne pas être originaire de Grande-Bretagne... du moins pas directement ! Les colons anglais avaient emmené avec eux, en Australie, des terriers pour tuer les nuisibles, les serpents et le petit gibier. Ces cairn, skye, dandie-dinmont, scottish, irish et autre yorkshire sont à l'origine de l'australian-terrier. L'idée des créateurs du silky était d'adoucir le côté un peu fruste et rustique de l'australian en le croisant à nouveau avec des yorkshire-terriers. Ils obtinrent donc un chien élégant, au poil soyeux, qui conservait néanmoins toutes ses aptitudes de chasseur. La race fut reconnue en 1898 par le Kennel Club australien. Elle gagna vite des adeptes sur les autres continents, et le silky a aujourd'hui une renommée mondiale.

• **Aspect physique :** Le silky est compact, relativement bas sur pattes, avec une structure raffinée et pourtant très robuste. La tête est forte, avec un crâne plat et des yeux petits, ronds, aussi foncés que possible et très intelligents. Ses oreilles sont petites, en forme de V, portées bien droites. Son corps est moyennement long, avec un dos rectiligne. La robe doit être fine et de texture soyeuse, d'une longueur oscillant entre 12,5 et 15 cm. Les couleurs autorisées sont le bleu et feu et le gris-bleu et feu. Malgré son apparence sophistiquée, sa belle robe ne nécessite pas trop d'entretien : un bon coup de brosse deux fois par semaine et une visite chez le toiletteur de temps en temps suffisent à lui conserver son aspect délicat.

• **Comportement :** Rebelle dans l'âme, le silky doit être éduqué très jeune et avec fermeté, si l'on veut obtenir un minimum d'obéissance de sa part ! Mais, si c'est un

La robe somptueuse du silky demande un entretien particulier.

chien qui a du caractère, il n'en est pas moins affectueux et proche de ses maîtres. Très curieux, il est à l'affût de leurs moindres faits et gestes, toujours prêt à démarrer au quart de tour s'ils font mine de sortir ! Il a besoin que l'on s'occupe de lui et réclame bien souvent de l'attention par des mines enjôleuses. Malheureux s'il est trop souvent livré à lui-même, son petit gabarit joue en sa faveur : il peut accompagner ses maîtres absolument partout ! Très tolérant avec les enfants, il recherche leur présence et ne se mettra jamais en colère . il saura adoucir pour eux son caractère de terrier ! En revanche, s'il s'entend généralement bien avec ses congénères, il n'est pas très sociable avec les autres animaux. Il sera donc préférable de les habituer à vivre ensemble dès leur plus jeune âge si l'on veut éviter que ses instincts de chasseur ne réapparaissent !

Très proche de ses maîtres, il veut les accompagner partout !

STANDARD

Taille : environ 22,5 cm au garrot.
Poids : de 4 à 5 kg.
Longévité : 15 ans.

Le silky est un rebelle qui doit être éduqué avec fermeté.

• **APTITUDES :** Le silky est un terrier énergique qui, malgré sa petite taille, adore se défouler en plein air. Même s'il ne chasse plus actuellement, il a gardé des aptitudes surprenantes pour la chasse aux rongeurs. Sa robe sophistiquée ne l'empêche pas de faire les quatre cents coups dans les buissons pour en ressortir tout emmêlé ! Robuste sous son habit de soie, il est aussi à l'aise dans les salons les plus chics que dans les broussailles les plus touffues ! C'est un chien assez aboyeur, qui ne supporte pas les intrusions d'étrangers sur son territoire. Il signalera donc toute incursion d'une voix stridente ! Très intelligent et ayant besoin d'activité, c'est un adepte tout désigné pour l'agility ou l'obéissance où il fera des merveilles.

Skye-terrier

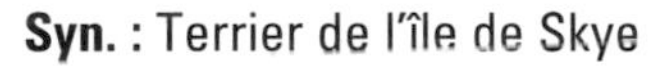

Syn. : Terrier de l'île de Skye

• **HISTORIQUE :** Originaire de l'île de Skye, ce chien fait partie du cercle des terriers écossais. Longtemps confondus entre eux, ils ne furent bien différenciés les uns des autres qu'à la fin du XIXe siècle. Dès 1840 pourtant, un skye-terrier avait attiré l'attention de la reine Victoria, et elle fut représentée par le peintre Nicholson en sa compagnie.

• **ASPECT PHYSIQUE :** Le corps allongé du skye et ses longs poils donnent l'impression qu'il avance sur des roulettes ! Sa tête est large et puissante, ses oreilles sont dressées et portent de longues franges soyeuses. Le dos du skye-terrier est long, bien droit. Son poil est long et dur, sans boucles. Les couleurs autorisées sont le noir, le gris, le fauve et le crème.

• **COMPORTEMENT :** Plein d'affection pour ses maîtres, il est très sensible et joueur. Doté d'un fort caractère, il n'est pas toujours très souple et mieux vaut ne pas le laisser seul avec des enfants. Très méfiant envers les inconnus, il peut à l'occasion les prévenir de ne pas s'aventurer sur son territoire, d'un petit coup de dent !

• **APTITUDES :** S'il ne chasse plus au terrier, il est resté très vigilant et surveille son domaine avec beaucoup d'attention. Il saura tout de suite prévenir d'une intrusion, de sa voix forte et grave pour un si petit chien !

STANDARD

Taille : de 25 à 26 cm au garrot.
Poids : de 10 à 12 kg.
Longévité : 13 ans.

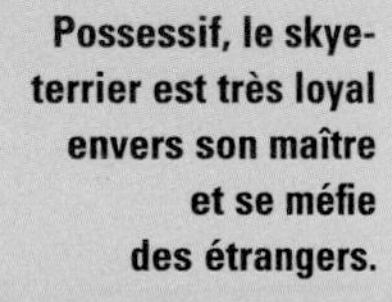

Possessif, le skye-terrier est très loyal envers son maître et se méfie des étrangers.

L'ANECDOTE

L'on dit que le plus célèbre chien écossais était un skye-terrier. Bobby de Greyfair, pendant quatorze ans après la mort de son maître, s'est rendu tous les jours dans son pub préféré. Une statue commémore cette fidélité.
En France, il est surtout connu pour avoir incarné le personnage de Pollux dans la série télévisée pour enfants *Le Manège enchanté*.

Soft-coated-terrier

Syn. : Terrier irlandais à poil doux

• **HISTORIQUE :** Le nom complet de ce terrier est irish-soft-coated-wheaten-terrier, ce qui veut dire « terrier irlandais à poil doux couleur des blés », tout un programme ! Très proche du kerry-blue-terrier, ses origines sont inconnues. Il était utilisé par les Irlandais aussi bien à la chasse qu'au troupeau ou que comme chien de berger.

• **ASPECT PHYSIQUE :** Le soft-coated est un chien vigoureux, bien bâti, donnant une impression de force. Sa tête est longue, avec un crâne plat. Sa truffe est noire et ses yeux foncés. Ses oreilles sont petites, plaquées sur le crâne. Le soft-coated a un cou fort et des membres antérieurs parfaitement droits. La texture de son poil est fine et soyeuse, de toutes les teintes allant du froment clair au roux doré.

• **COMPORTEMENT :** Le soft-coated est, comme tous les terriers, un chien à la fois indépendant et proche de ses maîtres. Cela se traduit par une petite tendance à n'en faire qu'à sa tête et à négliger les ordres s'ils ne sont pas donnés avec fermeté. Mais par ailleurs, il adore la vie de famille et fait un très bon compagnon pour les enfants. Toujours de bonne humeur, il n'aboie pas à tout bout de champ.

• **APTITUDES :** Toujours partant pour les balades, il a besoin de prendre beaucoup d'exercice et ne pourra se contenter d'une petite promenade deux fois par jour ! Il a gardé de ses ancêtres une aptitude à tout faire : toujours bon chasseur de nuisibles, il peut s'illustrer aussi dans le rapport ou la chasse au marais, quand il ne garde pas la maison.

Taille : de 45 à 48 cm au garrot.
Poids : de 14 à 18 kg.
Longévité : 14 ans.

Welsh-terrier

Syn. : Terrier gallois

Vigoureux, le welsh-terrier a un corps compact et musclé.

• **HISTORIQUE :** Le welsh-terrier semble être un habile compromis entre l'airedale et le fox-terrier... c'est dire s'il est un terrier, un vrai ! Il serait le descendant d'une race de terriers aujourd'hui disparue, l'old english black and tan terrier. Ce chien serait à l'origine de la plupart des terriers anglais modernes. Le welsh-terrier, tel que nous le connaissons actuellement, remonte sans doute au XVIIIe siècle. Il était essentiellement destiné à compléter les meutes de chiens courants.

Quand ceux-ci étaient bloqués devant la tanière d'un renard ou d'une loutre, le welsh-terrier allait déloger l'animal. Il est plus grand que les autres terriers, car il devait pouvoir accompagner la course de la meute sans être à la traîne ! Au XIXe siècle, l'Angleterre et le pays de Galles ont produit plusieurs races de terriers, développées par les mineurs des bassins houillers. Le welsh-terrier, après avoir accompagné les nobles dans la chasse à courre, devint le compagnon des mineurs. Il participa pour la première fois à une exposition en 1885, et la race fut officiellement reconnue en 1886.

• ASPECT PHYSIQUE : Le welsh-terrier est un chien compact, dont le corps s'inscrit dans un rectangle. Son crâne est plat, avec un stop très peu marqué. Ses mâchoires sont très puissantes, sa truffe est noire. Ses yeux sont petits et de couleur foncée. Les oreilles du welsh-terrier sont petites et en V, elles sont attachées haut, portées vers l'avant, contre la joue. Son cou est légèrement galbé, s'insérant dans des épaules longues et obliques. Ses membres sont forts et musclés. Son poil est dur, en fil de fer, très serré et abondant, doté d'un sous-poil épais. Les couleurs autorisées sont le noir et feu de préférence ou le grisonné noir et feu.

STANDARD

Taille : 39 cm maximum au garrot.
Poids : de 9 à 9,5 kg.
Longévité : 14 ans.

• COMPORTEMENT : Gai, vif, rarement timide, le welsh-terrier est affectueux et relativement obéissant pour un terrier. Les sujets qui viennent d'une lignée de chiens de travail seront d'ailleurs plus faciles à éduquer que leurs « confrères » des lignées de beauté. Comme tous les terriers, il n'est pas très amical avec ses congénères et aura une très forte tendance à chercher la bagarre avec eux... ; attention alors aux rencontres explosives ! Très proche de ses maîtres, le welsh a besoin de se sentir au cœur de l'action dans la maison et il supportera avec difficulté d'être laissé trop souvent seul.

• APTITUDES : Le welsh-terrier est un parfait compagnon, tout en étant un redoutable chasseur. Toujours utilisé au déterrage, il est très apprécié des chasseurs pour sa pugnacité. Il sait aussi rapporter le gibier, sur terre comme dans les marais. Courageux et résistant, c'est un auxiliaire précieux ! Très attaché à ses maîtres et à sa maison, c'est aussi un excellent gardien, dont la taille moyenne impressionnera les imprudents. Il peut très bien s'adapter à la vie en ville, à condition de pouvoir bénéficier de sorties régulières, pendant lesquelles il pourra se défouler tout à loisir.

Le welsh-terrier a besoin de prendre régulièrement de l'exercice.

West-highland-white-terrier

Syn. : Westie

• **HISTORIQUE :** Jusqu'au XIXe siècle, tous les terriers étaient indifféremment utilisés pour la chasse aux nuisibles. Les chiens de couleur crème étaient souvent écartés, car ils étaient jugés peu combatifs par les amateurs... Ceci allait changer à partir de 1860, grâce au colonel Malcolm of Poltalloch, qui habitait le comté d'Argyll, au nord-est de l'Écosse. Grand chasseur, celui-ci allait malencontreusement abattre l'un de ses chiens préférés, qu'il n'avait pu distinguer dans les broussailles. Il se jura alors de ne plus élever que des chiens blancs, pour qu'un tel accident ne puisse se reproduire ! Il présenta ses sujets en exposition à partir de 1890. En 1906, le club de la race fut fondé et le premier standard élaboré.

Une belle brochette de chenapans !

• **ASPECT PHYSIQUE :** Sous la sophistication du westie se cache un vrai terrier. Bâti en force, il est solidement construit pour combiner à la fois puissance et activité. Tout son corps semble avoir été conçu pour affronter son ennemi héréditaire, le renard. Son crâne est large et légèrement bombé. Ses yeux sont aussi foncés que possible, légèrement enfoncés dans la tête. Ses oreilles sont petites, droites et portées fermement, elles se terminent en pointe. Son cou musclé se fond dans des

L'ANECDOTE

Une petite femelle westie, appelée Holly (« sainte » en anglais), sauva sa maîtresse d'un coma diabétique. Ce 3 avril 1996, Roz Brown ne se sentait pas très bien et s'apprêtait à aller s'asseoir dans un fauteuil quand elle tomba, inconsciente. Son taux de sucre était très bas et il lui fallait immédiatement des secours. Quand Holly vit sa maîtresse inconsciente sur le sol, elle se précipita sur un sac de bonbons, en prit deux dans sa gueule et les déposa à côté de Roz. De quelques coups de langue, elle réussit à réanimer sa maîtresse qui put ainsi prendre les bonbons puis se sentir suffisamment bien pour manger et faire remonter son taux de sucre. Comment Holly comprit que Roz avait besoin de bonbons, cela reste un mystère...

épaules obliques encadrant un poitrail large. Les pattes, bien que courtes, sont d'aplomb et solidement charpentées. Son poil est dur, sans boucles, et entièrement blanc.

STANDARD

Taille : environ 28 cm au garrot.
Poids : de 7 à 8 kg.
Longévité : 13 ans.

• **COMPORTEMENT :** Sous ses faux airs de peluche, le westie est un petit démon effronté, qui n'aura de cesse de mettre tout son petit monde dans sa poche. Très attaché à ses maîtres, il saura prendre des mines attendrissantes pour obtenir ce qu'il veut, mais gardera son indépendance, quoi qu'il arrive ! Il reste toujours très circonspect avec les étrangers et se fait rarement des amis parmi ses congénères ou les autres animaux. Décidé, combatif, il ne recule devant aucun obstacle et fait entendre une voix de stentor pour un si petit gabarit ! Vrai petit démon, le westie a de l'énergie à revendre et le fait savoir.

• **APTITUDES :** Le westie n'est pas un chien de salon, loin s'en faut ! Son air de peluche ne doit pas faire oublier qu'il a été créé pour la chasse et qu'il a donc hérité de ses ancêtres le goût des grands espaces. Très costaud, il peut effectuer de longues courses sans montrer aucune fatigue. Il adore se promener avec ses maîtres et a besoin de prendre régulièrement de l'exercice. Quelques chiens pratiquent encore le déterrage, mais ils sont rares.

Le westie s'entend très bien avec les enfants.

Yorkshire-terrier

Syn. : Terrier du Yorkshire

Rustique ou toiletté, le yorkshire est toujours craquant !

Standard

Taille : environ 20 cm au garrot.
Poids : 3 kg maximum.
Longévité : 14 ans.

• **Historique :** Les ouvriers de l'industrie lainière de la région de Glasgow, en Écosse, avaient de petits chiens qu'ils utilisaient pour la chasse aux nuisibles et aux rongeurs. Un petit terrier avait été sélectionné parmi les différentes souches écossaises, vaillant à la chasse et assez petit pour être dissimulé dans une poche lors de braconnages. Ce chien s'appelait le clydesdale-terrier, du nom de la rivière Clyde, qui coule à Glasgow. Au début du XIXe siècle, la conjoncture entraîna ces ouvriers à émigrer dans le Yorkshire, au nord de l'Angleterre. Et bien sûr, ils emportèrent leurs chiens avec eux ! Les terriers écossais, encore assez lourds, furent croisés avec un redoutable chien local, le broken-haired-terrier. Puis des apports de skye, de dandie-dinmont, et de manchester contribuèrent à fixer le type du yorkshire. Une fois le chien enfoncé profondément dans le terrier, il était parfois difficile de le récupérer : les ouvriers décidèrent d'allonger la longueur de son poil en le croisant avec des bichons maltais. Avec ses longues franges, le yorkshire était facile à attraper même au plus profond d'une tanière ! La race obtint sa reconnaissance officielle par le Kennel Club en 1886.

• **Aspect physique :** Le york est un petit chien, très compact, au dos bien droit. Sa tête est petite et plate, avec des yeux foncés. Les oreilles sont petites, en forme de V et portées droites. Le cou du yorkshire est long et élégant, ses épaules sont bien obliques. Ses membres sont bien droits. Son poil est long, raide,

L'ANECDOTE

Tania, un petit york de 12 ans, s'est soudain retrouvée soulevée de terre par un grand hibou ! L'oiseau a fait une véritable opération commando, fondant sur elle et l'emportant loin de son petit jardin d'Addlestone dans le Surrey, en Angleterre... Son propriétaire, témoin du « rapt », a suivi le vol de l'oiseau et a fini par retrouver Tania, choquée, contusionnée, mais pas sérieusement blessée... Elle doit maintenant regarder en l'air chaque fois qu'elle sort dans le jardin, au cas où !

sans ondulations, de texture fine et soyeuse. Les couleurs autorisées sont le bleu acier foncé, de l'occiput à la base de la queue, et fauve sur la tête.

• **COMPORTEMENT :** Le yorkshire est un chien vif, actif, toujours en mouvement. Mais il est aussi un parfait compagnon, affectueux, attentif au moindre geste de son maître. Très intelligent, il semble comprendre les états d'âme de ses maîtres et se montrera calme ou enjoué selon leur humeur. Il s'entend bien avec les enfants et partagera leurs jeux avec plaisir, mais il ne faut pas oublier que c'est un terrier ! S'il trouve que les bambins lui tirent un peu trop les moustaches, il grognera un bon coup pour marquer sa réprobation. Particulièrement intrépide, il semble oublier parfois qu'il est aussi petit et il n'hésite pas à se mesurer à bien plus gros que lui !

• **APTITUDES :** Le york est le chien de compagnie par excellence : petit, il s'adapte partout, ravi de suivre son maître dans toutes ses activités. Sa bonne humeur est communicative et il mettra de l'animation là où il passera ! Malgré sa robe argentée, ce n'est pas qu'un chien de salon : il adore se promener et faire le fou. Certains yorks ont gardé des aptitudes de terriers et n'hésiteront pas à se lancer à la poursuite d'un rongeur.

Le yorkshire semble toujours comprendre ce que ses maîtres attendent de lui.

LES CHIENS DE

L Les chiens de compagnie, que l'on appelait autrefois chiens de manchon, sont depuis des siècles les compagnons des dames de la haute société. Par opposition au chien de chasse de Monsieur, balourd et rustique, qui dormait à la dure, le chien de Madame

COMPAGNIE

avait droit aux plus luxueux mets et aux sofas les plus confortables. Au fil des siècles, cette conception du chien de compagnie s'est démocratisée, et il n'est plus aujourd'hui réservé aux dames ! Mais la plupart de ses caractéristiques essentielles a perduré : de petite taille, il est mignon, voire franchement craquant ! Point commun à de nombreuses races : un physique tout en rondeurs et de grands yeux, qui gardent au chien une apparence juvénile toute sa vie ! Gentils, très doux, calmes, les chiens de compagnie sont les complices rêvés des enfants et des personnes âgées.

Basenji

• **HISTORIQUE :** Le basenji est l'un des rares chiens originaires d'Afrique noire, et son existence remonte vraisemblablement à des milliers d'années. Il fut découvert vers 1870 par des colons anglais : les premiers basenjis, alors connus sous le nom de terriers du Congo, furent exposés à la Cruft's (la plus importante exposition canine d'Angleterre) en 1895. Malheureusement, ceux-ci, comme leurs successeurs, moururent de la maladie de Carré, inconnue en Afrique. La race ne réussit finalement à faire souche en Angleterre qu'en 1937. Les premiers sujets n'arrivèrent en France qu'en 1966.

• **ASPECT PHYSIQUE :** Le basenji est un chien à la construction légère, à l'ossature fine. Sa tête est plate, fortement ridée, avec des oreilles petites, pointues et dressées. Ses yeux sont foncés, en forme d'amande et disposés obliquement. Sa queue est attachée haut et s'enroule en boucle serrée au-dessus de la colonne vertébrale. Le poil du basenji est court, luisant et serré, noir et blanc, rouge et blanc, fauve et blanc, noir, feu et blanc.

• **COMPORTEMENT :** Le basenji est un chien à part : il n'aboie jamais et son comportement tient plus du chat que du chien ! Très espiègle, il a un caractère assez affirmé qui nécessite une éducation ferme. Indépendant, il est paradoxalement très exclusif avec son maître et pourra faire de vraies scènes...

STANDARD

Taille : de 40 à 43 cm au garrot.
Poids : de 9,5 à 11 kg.
Longévité : 13 ans.

• **APTITUDES :** S'il était utilisé pour la chasse en Afrique, il est devenu un animal de compagnie recherché en Europe. Il est assez sportif et ne pourra vivre en appartement qu'à la condition de pouvoir se promener régulièrement. Attention, il a une légère tendance à fuguer.

Le basenji a le front ridé, ce qui lui donne un petit air étonné.

Bichon bolonais

Le bichon bolonais fut pendant des siècles le chien des rois et des empereurs.

• **HISTORIQUE :** Les origines des bichons sont assez difficiles à retracer, mais l'on sait qu'ils existent dans le Bassin méditerranéen depuis l'Antiquité. Le bichon bolonais était déjà connu à l'époque romaine, et par la suite faisait partie des cadeaux que s'offraient les puissants de ce monde. Cosme de Médicis, prince florentin (1389-1464), en emporta huit avec lui à Bruxelles pour en faire cadeau à autant de seigneurs belges. Philippe II, roi d'Espagne de 1556 à 1598, après en avoir reçu deux en cadeau de la part du duc d'Este, remercie celui-ci en écrivant qu'ils sont le « cadeau le plus royal que l'on puisse faire à un empereur ». Il fut le chien d'Antoinette Poisson, marquise de Pompadour (1721-1764), et de la grande Catherine II de Russie (1729-1796). Le bichon bolonais était très répandu et recherché dans l'aristocratie du siècle dernier. Plus près de nous, l'ex-roi d'Italie, Umberto II de Savoie, alors prince héritier, offrit un chiot bolonais à sa fiancée, la princesse José de Belgique. Pourtant, malgré ses nombreuses qualités, le bichon bolonais fut supplanté dans le cœur de la noblesse par le caniche, et connut une très longue période de désaffection, qui faillit mener à la disparition de la race.

• **ASPECT PHYSIQUE :** Le bichon bolonais est un chien de petit format, compact, dont le corps est construit dans un carré. Son crâne est légèrement ovoïde, avec un stop assez accentué. Son museau est presque carré, avec une truffe volumineuse et noire. Il a de grands yeux, à l'iris ocre foncé. Ses oreilles sont attachées haut, longues et pendantes. Son corps, bien carré, a une poitrine ample, un dos bien droit et des reins légèrement convexes. Sa queue, attachée dans le prolongement de la croupe, se recourbe sur le dos. Les membres sont parfaitement d'aplomb et bien parallèles. Le poil du bichon bolonais est long sur tout le corps, plutôt flou, il forme des mèches mais jamais de franges. Sa couleur est le blanc pur.

• **COMPORTEMENT :** Très gracieux, le bichon bolonais est agréable à vivre. D'un naturel plutôt calme, il apprécie l'atmosphère familiale et en sera un observateur attentif. Assez réservé, il est néanmoins sociable et proche de ses maîtres. Il adore prendre des poses méditatives et semble, dans ces moments, réfléchir intensément sur le fonctionnement du monde ! Le bolonais est un petit chien de compagnie fort attachant ; son attitude parfois si sérieuse lorsqu'il vous regarde prête à sourire. Extrêmement attaché à son maître, d'une grande intelligence, il observe tout ce qui se passe autour de lui, mais ne donne libre cours à sa joie qu'en présence de son maître. C'est un chien calme et serein qui trouve son équilibre dans l'ambiance chaleureuse d'un foyer.

• **APTITUDES :** Le bichon bolonais est le chien de compagnie par excellence. Son tempérament calme et posé est idéal pour la vie en appartement, car il ne fera pas la sarabande à longueur de journée pour sortir ! Tout à fait conseillé aux personnes âgées, ce petit chien s'adapte facilement à la vie de ses maîtres et saura se mettre au diapason de leur humeur. Il s'entend fort bien avec les enfants, mais sera plus leur confident qu'un compagnon de jeux turbulent. Comme tous les chiens, il appréciera de se dégourdir les pattes régulièrement, mais n'a pas besoin de pratiquer un sport canin pour se sentir bien dans ses coussinets !

STANDARD

Taille : de 25 à 30 cm au garrot.
Poids : de 2,5 à 4 kg.
Longévité : 14 ans.

Le bichon bolonais est un chien calme qui s'adapte à toute les situations.

Bichon frisé

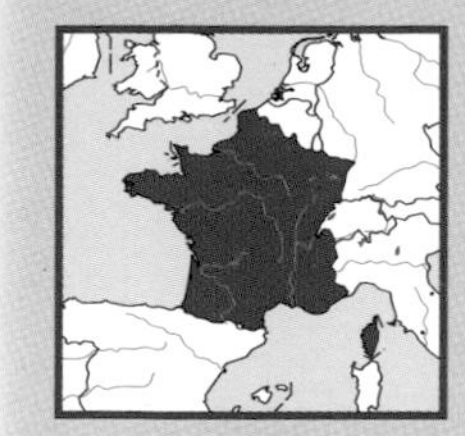

Le bichon frisé est l'un des chiens de compagnie français les plus populaires.

• **HISTORIQUE :** Le bichon frisé a vraisemblablement été créé au XVe siècle, en croisant des bichons maltais avec des caniches. Introduit en France sous François Ier, c'est Henri III qui le rendit célèbre car il lui vouait une véritable passion. Le bichon frisé était toujours très à la mode sous Napoléon III et à la Belle Époque, mais la Première Guerre mondiale faillit lui porter un coup fatal. Proche de l'extinction, la race ne dut son salut qu'à quelques éleveurs passionnés qui entreprirent de redonner un coup de fouet à son élevage.

• **ASPECT PHYSIQUE :** Le bichon frisé est un petit chien au crâne plat et au museau plutôt court. Sa truffe est arrondie, bien noire. Ses yeux sont foncés, tout ronds et ils ne doivent pas être proéminents. Les oreilles sont tombantes, portées plutôt en avant quand le chien est attentif. Le cou du bichon frisé est assez long, au-dessus d'une poitrine bien développée et profonde. Ses membres antérieurs sont très droits, avec une ossature fine. Ses cuisses sont larges et musclées. Sa queue est attachée un peu plus bas que la ligne du dos et portée relevée et gracieusement recourbée, sans être enroulée. Son poil est fin, soyeux, tirebouchonné, très lâche, ni plat, ni cordé. Il atteint 7 à 10 cm de longueur et doit être d'un blanc pur.

Le bichon frisé a un poil fin et soyeux.

Vif et dynamique, le bichon frisé a besoin de se défouler régulièrement.

• **Comportement :** Le bichon frisé est un joli chien heureux de vivre, intrépide et affable, qui a conquis bien des cœurs depuis qu'il est sorti de sa longue période d'anonymat. Plein de charme et de douceur, le bichon frisé est un grand sensible qu'il ne faut réprimander qu'à juste raison. Mais même si cette petite boule de poils est craquante, il faut toutefois se montrer ferme avec lui, car il aurait vite fait de devenir capricieux s'il était trop gâté. Il faut le féliciter quand il a bien exécuté un ordre et lui montrer que l'on s'intéresse à lui. En effet, très affectueux, le bichon frisé ne supportera que difficilement d'être séparé de ses maîtres, même brièvement. Il s'entend très bien avec les enfants et saura se montrer un compagnon de jeux enjoué et dynamique.

Standard

Taille : moins de 30 cm au garrot.
Poids : de 3 à 4 kg.
Longévité : 13 ans.

• **Aptitudes :** Vif et actif, le bichon frisé s'adapte bien à la vie en appartement, mais il a quand même besoin de se défouler régulièrement dans la nature. Toujours en mouvement, cette tornade blanche mettra de l'animation dans la maison ! Assez exubérant, il conviendra bien aux personnes qui apprécient les petits chiens dynamiques. Sa petite taille ne l'empêche pas de faire des étincelles en agility, car son tempérament fougueux le mènerait au bout du monde, pour peu que son maître le lui demande...

L'anecdote

Henri III éprouvait une grande passion pour ses bichons frisés, qu'il transportait dans des paniers, couverts de rubans. Ces petits chiens faisaient les délices des dames de qualité, ils étaient donc surnommés des « damerets ». Le roi consacrait beaucoup de temps à ses chiens, et ses petits favoris ne le quittaient guère. L'on raconte qu'il ne se séparait jamais de ses trois bichons, Liline, Titi et Mimi, qu'il portait dans un panier suspendu à son cou. Lorsque Jacques Clément fut introduit dans sa chambre pour l'assassiner, le 1er août 1589, Liline se précipita vers lui en aboyant pour l'empêcher d'avancer. Malheureusement, son courage ne suffit pas à empêcher le meurtre du roi...

Bichon havanais

• **HISTORIQUE :** Le bichon havanais est originaire, comme tous les bichons, du Bassin méditerranéen, et plus particulièrement de l'Italie et de l'Espagne. Il semblerait que la race ait été implantée à Cuba par des navigateurs espagnols au début du XVIIIe siècle. Cadeaux de prix, les bichons étaient offerts aux familles les plus riches de l'île. La race connaîtra une désaffection inexpliquée jusque dans les années soixante. À cette époque, les familles les plus aisées de Cuba cherchèrent à fuir l'île en direction des États-Unis, emportant avec elles leurs petits compagnons. Les Américains découvrirent alors cette race si attachante, et cherchèrent à la reconstituer à partir des quelques sujets récemment arrivés sur le sol américain. Cette entreprise connut un grand succès et la race devint vite très populaire aux États-Unis, alors qu'elle est en voie de disparition à Cuba.

• **ASPECT PHYSIQUE :** Le bichon havanais est un petit chien vigoureux et bas sur pattes. Sa tête est de longueur moyenne, avec un crâne très peu bombé. Sa truffe est noire et ses yeux sont grands, en forme d'amande, d'un brun aussi foncé que possible. Les oreilles sont implantées relativement haut, elles tombent le long des joues en formant un léger pli. Leur extrémité est en pointe peu marquée. Le dos du bichon havanais est rectiligne, avec des côtes bien cintrées. Ses membres antérieurs sont droits et bien parallèles. Ses membres postérieurs ont une bonne ossature, avec des angulations modérées. Sa queue est portée relevée, de préférence enroulée sur le dos, garnie d'une frange de longs poils soyeux. Le poil du bichon hava-

Le bichon havanais est en voie de disparition à Cuba, son pays d'origine.

Selon son standard, il est interdit de toiletter le bichon havanais !

nais est double, avec un sous-poil laineux peu développé et un poil de couverture très long, de 12 à 18 cm chez l'adulte. Celui-ci est doux, plat ou ondulé, et peut former des mèches bouclées. Chose exceptionnelle, tout toilettage, toute égalisation aux ciseaux et toute épilation sont interdits. Les variétés de couleurs autorisées sont les couleurs unies, blanc, noir, fauve, ou blanc et fauve avec des taches noires.

• **COMPORTEMENT :** Le bichon havanais est le plus rustique des bichons, tout à fait capable de passer de longs moments dehors à jouer et à faire le fou. Très proche de ses maîtres, il ne s'épanouit qu'en leur présence et ne se sentira à son aise qu'en famille. Il s'entend très bien avec les enfants, dont il partagera les jeux avec enthousiasme, toujours prêt à quelque pitrerie pour les amuser. Très calme, le bichon havanais n'est pas aboyeur pour deux sous et saura se montrer discret en toutes circonstances. Naturellement sociable, il apprécie la compagnie des étrangers, pourvu qu'ils lui apportent son comptant de caresses et d'attentions ! Il s'entend aussi très bien avec ses congénères et les autres animaux, s'ils ne bouleversent pas trop l'ordonnancement parfait de son univers...

• **APTITUDES :** Chien de compagnie par excellence, le bichon havanais ne montre pas d'aptitudes particulières pour d'autres fonctions ou activités. Il n'aime rien tant que rester aux côtés de ses maîtres, toujours partant pour des câlins ou des jeux. Très affectueux, il a besoin de leur présence pour s'épanouir et ne supportera pas qu'on le laisse seul. En revanche, ce n'est pas une peluche ! Il appréciera beaucoup les sorties, guettant avec impatience le moment de la promenade pour se dépenser sans compter.

STANDARD

Taille : de 21 à 29 cm au garrot.
Poids : de 3 à 6 kg.
Longévité : 13 ans.

Bichon maltais

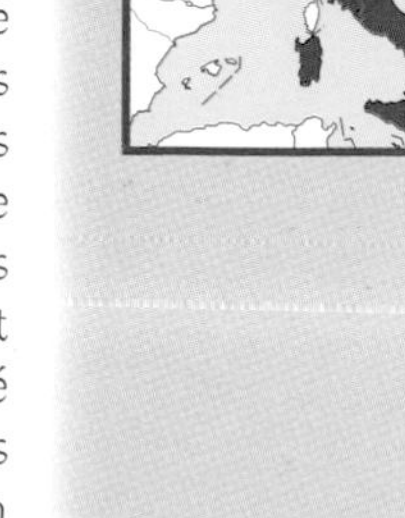

• **HISTORIQUE :** Le bichon maltais, contrairement à ce que son nom indique, n'est pas originaire de Malte. Son nom provient du mot *màlat*, qui en langue sémitique (parlée dans le Bassin méditerranéen) signifiait refuge ou port. Les ancêtres des bichons maltais vivaient dans les ports ou les villes maritimes de la Méditerranée centrale, où ils combattaient les souris et les rats qui pullulaient dans les magasins portuaires et les cales des bateaux. De nombreux auteurs romains ont mentionné les bichons, qui étaient appelés en latin *Canes melitenses*. Le bichon maltais est le plus ancien des bichons et à l'origine des trois autres races (bolonais, frisé et havanais). Il est représenté sur la célèbre tapisserie *la Dame à la licorne* ; il a été le compagnon des rois et des grands de ce monde au fil des siècles. En France, le premier bichon maltais inscrit au Livre des origines français, en 1904, s'appelait Lord Ivy.

• **ASPECT PHYSIQUE :** Le bichon maltais est un petit chien, au tronc allongé, avec un port de tête fier et élégant. Sa tête est plutôt large, avec un stop très marqué. Sa truffe est volumineuse, arrondie, avec des narines bien ouvertes et bien pigmentées de noir. Ses yeux sont grands, de couleur ocre foncé. Son cou est arqué et son thorax ample, descendant plus bas que le niveau des coudes. Les membres du bichon maltais sont bien musclés et parallèles. Sa queue est attachée dans le prolongement de la

Le bichon maltais est le plus ancien des bichons.

Très affectueux, le bichon maltais est très proche de ses maîtres.

L'ANECDOTE

« Pour faire l'éloge de ce bichon merveilleux, il faudrait arracher une plume à l'aile de l'Amour ; la main des Grâces serait seule assez légère pour tracer son portrait ; le crayon de Latour n'aurait rien de trop suave. Il s'appelle Fanfreluche, très joli nom de chien, qu'il porte avec honneur. Fanfreluche n'est pas plus gros que le poing fermé de sa maîtresse, et l'on sait que madame la marquise a la main la plus petite du monde ; et cependant il offre à l'œil beaucoup de volume et paraît presque un petit mouton, car il a des soies d'un pied de long, si fines, si douces, si brillantes, que la queue à Minette ressemble à une brosse en comparaison. Quand il donne la patte et qu'on la serre un peu, l'on est tout étonné de ne rien sentir du tout. Fanfreluche est plutôt un flocon de laine soyeuse, où brillent deux beaux yeux bruns et un petit nez rose, qu'un véritable chien. »
Théophile Gautier, *le Petit Chien de la marquise.*

croupe. Elle est épaisse à la racine et va en s'affinant jusqu'à sa pointe. Le poil du bichon maltais est dense, luisant, brillant et de texture soyeuse, il tombe lourdement. Il est très long sur tout le corps et reste droit sur toute sa longueur sans traces d'ondulations ni de boucles. La couleur doit être d'un blanc pur, l'ivoire pâle est toutefois admis.

• **COMPORTEMENT :** Le bichon maltais est un chien doux et équilibré, parfois un peu susceptible... Il est très affectueux, se rendant vite indispensable, tant son affection semble sans limites. Il n'aime pas la solitude et préférera sans hésiter partager toutes les activités de la famille. Il est tendre, plein de charme, et malgré sa tenue d'apparat, très robuste !

• **APTITUDES :** Si la robe du bichon maltais lui donne un petit air sophistiqué, il ne dédaigne pas pour autant les balades dans la nature ! Vif, actif, il adore se promener avec ses maîtres et sera toujours partant pour partager les jeux des enfants.

Le bichon maltais a une superbe robe d'un blanc pur.

STANDARD

Taille : de 20 à 25 cm au garrot.
Poids : de 3 à 4 kg.
Longévité : 15 ans.

Bouledogue français

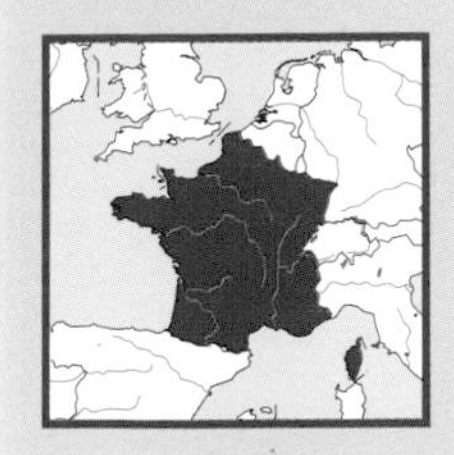

Le bouledogue était autrefois le chien favori des titis parisiens.

• **Historique :** Le bouledogue français est le produit des différents croisements que firent les éleveurs passionnés dans les quartiers populaires de Paris dans les années 1880. À l'époque, chien du quartier populaire des Halles, il était le chien favori des bouchers, cochers, savetiers et marchands des quatre-saisons. Au fil des années, il sut conquérir la haute société et le monde des artistes par son physique si particulier, et il se propagea alors rapidement. L'Amicale des amateurs de bouledogues français fut fondée en 1880 à Paris, et le premier standard fut établi en 1898, année où la Société centrale canine reconnut la race. C'est aussi cette année-là que le premier bouledogue sera inscrit au Livre des origines : Mazette, une petite femelle née en mai 1896.

• **Aspect physique :** C'est un chien puissant pour sa petite taille, très musclé. Sa tête est très forte, large et carrée, avec des plis et des rides presque symétriques, et son crâne est large et presque plat. Sa truffe est large, retroussée, avec des narines très ouvertes, le stop est très marqué. Les yeux sont placés bas, foncés, grands et bien ronds. Les oreilles sont larges à la base et arrondies au sommet. Le cou du bouledogue français est court et légèrement incurvé. Son poitrail est très ouvert, son dos large et musclé, au rein court et trapu. La queue est courte, attachée bas, épaisse à la base et effilée à l'extrémité. Elle est naturellement nouée ou cassée. Son poil est ras, serré, brillant et doux. Il peut être de couleur fauve bringé, ou blanc et bringé, dit caille.

Il faut tempérer les ardeurs du bouledogue, qui a tendance à en faire trop.

• **Comportement :** L'écrivain Pierre Mac Orlan, qui posséda plusieurs bouledogues français, écrivit : « *Le petit bouledogue français est un chien si l'on veut, mais c'est plutôt ce qu'on appelle quelqu'un !* » Cette formule résume parfaitement cette race : un chien au caractère exceptionnel. Très affectueux et très proche de ses maîtres, c'est un grand sensible qui ne supportera pas la solitude. Il sait rester calme et fait un parfait compagnon pour les personnes âgées qui apprécient les molossoïdes mais ne peuvent plus s'occuper d'un gros chien. Il peut aussi se montrer facétieux et espiègle, et partagera avec enthousiasme les jeux des enfants. Toujours prêt à suivre sa famille, il saura s'adapter à toutes les situations et, si nécessaire, se faire oublier.

Le bouledogue ne supporte pas d'être livré à lui-même.

• **Aptitudes :** Comme tous les chiens de type molossoïde, le bouledogue français n'est pas vraiment taillé pour la compétition sportive... Plus à l'aise sur le tapis du salon que dans les starting-blocks, il peut cependant être un concurrent tout à fait honorable en agility. Sa conformation physique implique toutefois un entraînement à son rythme : il ne faut pas qu'il force de trop et il est préférable d'éviter les courses par forte chaleur. Si vous constatez un essoufflement important, arrêtez immédiatement l'entraînement. En règle générale, il faut tempérer ses ardeurs, car il aurait, comme en tout, tendance à en faire trop !

Standard

Taille : de 25 à 35 cm au garrot.
Poids : de 8 à 14 kg.
Longévité : 12 ans.

Brabançon

• **HISTORIQUE :** Le brabançon descend vraisemblablement des griffons d'écurie, des petits chiens originaires d'Allemagne qui étaient fort prisés pour la chasse aux rongeurs dans les fermes. Ces chiens furent croisés avec des terriers à la fin du XIXe siècle. Ils furent ensuite accouplés à des carlins, donnant ainsi naissance au brabançon.

• **ASPECT PHYSIQUE :** Le brabançon est un petit chien robuste et de forme ramassée. Son crane est large et rond, au front bombé. Sa truffe est noire et bien large. Son menton, proéminent et large, dépasse bien la mâchoire supérieure. Ses yeux sont très grands, noirs et tout ronds. Ils doivent être écartés et saillants. Ses oreilles sont droites. Les membres du brabançon sont droits et bien d'aplomb. Son poil est court et les seules couleurs admises sont le roux et le noir et feu.

STANDARD

Taille : de 18 à 18 cm au garrot.
Poids : de 3 à 5 kg.
Longévité : 12 ans.

• **COMPORTEMENT :** Surnommé « chien de dame », le brabançon est un chien de compagnie discret, dont le petit format permet de l'emmener partout avec soi. Facile à vivre, il est très affectueux et recherche la compagnie de ses maîtres. Très sociable, il s'entend bien avec les étrangers, ses congénères et les autres animaux.

• **APTITUDES :** Bon avertisseur, le brabançon n'hésitera pas à aboyer pour prévenir de l'arrivée d'un inconnu. Mais sa petite taille en fait un chien bien peu dissuasif ! Toujours soucieux de plaire, il jouera avec fierté les gardiens incorruptibles, s'il se rend compte qu'il fait plaisir à son maître. Relativement robuste et sportif, il appréciera sans aucun doute les promenades dans la nature.

Le brabançon est un petit chien de compagnie sociable et affectueux.

Caniche

Toys, petits, moyens ou grands, il y a des caniches pour tous les goûts !

• **HISTORIQUE :** Le caniche est d'origine très ancienne. Il a probablement pour ancêtres des chiens arabes croisés avec des chiens d'eau portugais arrivés en France pendant les invasions maures vers 700 ap. J.-C. Jusqu'au XVIe siècle, il n'y avait qu'une seule variété de ce chien, le barbet, qui était utilisé pour la chasse dans les marais. Puis le barbet se scinda en deux variétés. L'une, chien de chasse de grande taille, qui conserva son nom d'origine, l'autre, croisée à des épagneuls pour adoucir la texture de son poil et appelée caniche. D'ailleurs ce nom, contrairement aux apparences, ne vient pas du latin *canis*, mais dérive de l'ancien français *cane*, qui désignait un canard, car, comme ces volatiles qu'il chassait autrefois, il va volontiers à l'eau. Au fil des siècles, le caniche quitta les marais pour les salons royaux et devint la coqueluche de la cour, faisant une concurrence acharnée aux bichons ! Dès l'ouverture du Livre des origines français, en 1885, un caniche y fut inscrit, Milord.

Le caniche fut très apprécié des salons royaux.

• **ASPECT PHYSIQUE :** Le caniche est un chien de type médioligne, harmonieusement construit. Sa tête est fine, avec un crâne un peu ovale. Ses yeux sont légèrement en amande, placés en oblique. Ils sont noirs ou brun très foncé pour toutes les couleurs de robe sauf le marron, où ils peuvent être ambre foncé. Les oreilles sont assez longues, tombantes le long des joues et arrondies à leur extrémité. Les pattes du caniche sont parfaitement droites et parallèles, bien musclées. La queue est attachée haut, au niveau de la ligne du rein. Le poil du caniche

Le toilettage du caniche est affaire de goût : ici une coupe sophistiquée.

est abondant, bouclé, d'une texture fine et laineuse. Il est bien frisé, élastique et épais. Il doit être toiletté selon le standard, au choix : en lion, moderne ou à l'anglaise. Les couleurs autorisées sont le noir, le blanc, le marron, le gris et l'abricot.

• **Comportement :** Très fidèle, le caniche est proche de son maître et a même une légère tendance à l'accaparer : il veut toujours être au centre de l'attention générale ! C'est un compagnon formidable pour tous : il met de l'animation dans la vie bien rangée des personnes âgées, fait du sport avec ses maîtres et joue comme un fou avec les enfants !

• **Aptitudes :** Le caniche sait tout faire ! Chien-guide d'aveugle, chien de recherche de drogue ou d'explosifs, chercheur de truffes, champion d'agility... Sans parler de ses talents de comédien ! Particulièrement intelligent, il se dresse facilement à de nombreuses tâches et sera toujours partant pour une bonne balade, histoire de se dégourdir un peu les pattes !

Standard

Taille : de 25 à 60 cm au garrot.
Poids : de 2 à 20 kg.
Longévité : 12 ans.

L'anecdote

Victor Hugo (1802-1885) possédait un caniche, Baron. Mais à l'époque où on lui avait offert cet animal, le célèbre écrivain avait une vie plutôt mouvementée, incompatible avec la possession d'un chien. Il décida donc, en 1841, de le donner à son ami le marquis de Faletans, attaché d'ambassade à Moscou. Celui-ci l'emporta alors avec lui en Russie. Deux mois plus tard, l'écrivain reçut une lettre de son ami, lui apprenant que Baron s'était échappé. Quelques semaines après, la cuisinière de l'écrivain entendit une nuit des cris plaintifs venant de derrière la porte… Baron était de retour ! Crotté, les pattes en sang, mais en pleine forme ! Victor Hugo écrivit à son ami pour lui annoncer la stupéfiante nouvelle et lui dire qu'il gardait Baron. Le chien aurait parcouru 2 150 km…

Le caniche est très affectueux et très attaché à ses maîtres.

Carlin

• **Historique :** Le carlin est sans doute originaire de Chine, résultat de la miniaturisation du dogue du Tibet. Lorsque, au début du XVIIe siècle, les Occidentaux commencèrent à faire des échanges avec la Chine, ils rapportèrent en Europe, entre autres curiosités, ces petits chiens, compagnons des empereurs chinois. Ses importations seront possibles jusqu'en 1644, date à laquelle la Chine se fermera complètement aux Occidentaux, jusqu'en 1842. Guillaume Ier (1533-1584), roi des Pays-Bas, possédait des carlins dont il ne se séparait jamais. Son petit-fils, Guillaume II, qui avait lui aussi une passion pour les carlins, emporta avec lui ses compagnons en Angleterre lorsqu'il épousa Marie Stuart. À partir de cette époque, le carlin gagnera toutes les cours européennes, où il eut un grand succès. Mais celui-ci déclinera peu à peu, jusqu'à ce que la race devienne très rare, à la fin du XIXe et au début du XXe siècle. Le duc et la duchesse de Windsor remettront le carlin au goût du jour, le rendant extrêmement populaire dans les années soixante.

• **Aspect physique :** Le carlin est un petit chien compact et trapu, avec une musculature puissante et ferme. Sa tête est forte et ronde, avec un museau court, tronqué et carré. Ses yeux sont foncés, très grands et de forme globuleuse. Les oreilles sont minces, petites, et peuvent être en rose ou en bouton. Le dos du carlin doit être bien droit ; sa poitrine est large. Sa queue est attachée haut, formant une boucle aussi serrée que possible sur la hanche. Une double boucle est même très recherchée. Le

Le carlin a un physique très particulier qui a ses inconditionnels.

La popularité du carlin grimpa en flèche dans les années 60 grâce au duc et à la duchesse de Windsor.

poil du carlin est fin, lisse, doux, court et brillant. Il peut être argent, abricot, fauve ou noir, avec un masque noir et une raie noire qui s'étend de l'occiput à la queue.

• **COMPORTEMENT :** Le carlin est un chien qui se mérite, mais une fois séduit, on ne peut plus s'en passer ! Individualiste, entêté, méfiant, il n'est pas facile à vivre. Il sait ce qu'il veut et il n'en démordra pas avant d'avoir obtenu satisfaction : à vous de vous adapter à son tempérament... Son physique particulier lui donne un air perpétuellement grognon, qui est bien loin de la realité. En effet, le carlin est un chien enjoué, affectueux, très sensible et attentif aux moindres faits et gestes de ses maîtres. Il supportera difficilement d'être tenu à l'écart et, dans ce cas, ira bouder dans son coin pour marquer sa réprobation !

• **APTITUDES :** Le carlin n'est pas un sportif, loin s'en faut ! Comme tous les chiens à face plate, il s'essouffle vite et supporte mal la chaleur. Il vaut donc mieux éviter les randonnées au soleil ! De courtes promenades lui suffisent amplement, et l'agility est, a priori, proscrite pour lui. Il apprécie les enfants, mais ne sera pas très chaud pour des parties trop mouvementées, il faut donc respecter sa volonté. Il doit cependant prendre quelque exercice, car il a une légère tendance à l'embonpoint.

STANDARD

Taille : environ 30 cm au garrot.
Poids : de 6 à 8 kg.
Longévité : 13 ans.

L'ANECDOTE

Le rival le plus redoutable de Napoléon auprès de Joséphine de Beauharnais était son carlin, Fortuné. L'Empereur se confia un jour : « Vous voyez bien ce monsieur-là ? c'est mon rival. Il était en possession du lit de Madame quand je l'épousai. Je voulus l'en faire sortir : prétention inutile ; on me déclara qu'il fallait me résoudre à coucher ailleurs ou consentir au partage. Cela me contrariait assez, mais c'était à prendre où à laisser. Je me résignai. »

Cavalier king-charles

• **HISTORIQUE :** L'ancêtre du cavalier king-charles a été créé en Angleterre et popularisé sous le règne de Charles II d'Angleterre (1630-1685). En 1860, lors du pillage du Palais d'Été de Pékin, les officiers britanniques ramènent des pékinois en Angleterre. La race eut très vite ses adeptes et l'épagneul anglais vit son museau raccourcir pour satisfaire à la mode. Un amateur, passionné du type originel, se rebella et offrit en 1926 un prix de 25 livres pendant cinq ans, à l'exposition de la Cruft, aux éleveurs de king-charles qui répondraient aux anciens critères : « face longue, pas de stop, crâne plat, sans aucune tendance à être bombé, avec une tache au centre du crâne » ; les éleveurs œuvrèrent pour retrouver la silhouette d'antan et un standard fut rédigé pour se rapprocher du modèle idéal. Dès lors, on différencia par l'appellation de king-charles les chiens qui avaient le nez plat et le crâne arrondi, et de cavalier king-charles ceux qui avaient gardé les caractéristiques originelles. Il faudra néanmoins attendre 1946 pour que la séparation entre les deux races soit définitivement consacrée par la participation aux expositions dans des classes différentes.

• **ASPECT PHYSIQUE :** Le cavalier king-charles est un chien bien proportionné. Son crâne est presque plat entre les oreilles. Son museau est court et large, et va en s'amenuisant. Sa truffe est noire et bien développée. Ses yeux sont grands, sombres (marron foncé) et ronds, pas saillants. Ses oreilles sont longues, attachées haut, avec de longs poils ondulés. Ses membres antérieurs sont très droits, avec des pieds compacts et ronds. La queue du cavalier est attachée un peu en dessous de la ligne du dos ; assez longue, elle a de longs poils un peu

Très sociable, il s'entend avec tous et s'adapte partout.

De gauche à droite : noir et feu, ruby, tricolore et blenheim.

ondulés. Son poil est long, soyeux et sans boucles. Il est légèrement ondulé, avec des franges abondantes. La fourrure peut avoir quatre coloris différents : unicolore rouge (ruby), marques rouges sur fond blanc (blenheim), noir et feu ou tricolore (noir, feu et blanc).

• **COMPORTEMENT :** Il est d'une grande gentillesse avec les gens comme avec les chiens, et il recherche toujours le contact pour se faire des amis qu'il peut entraîner dans le jeu. En ce qui concerne les enfants, c'est le compagnon idéal : ni trop mou, ni trop exubérant, jamais brutal. Il est peu aboyeur et s'adapte à tous les milieux que ce soit en ville ou à la campagne. Quelquefois trop proche de son maître, il supporte très mal la solitude et a besoin d'une présence presque permanente, même si l'on n'a pas beaucoup de temps à lui consacrer. Très chic et bon genre, il préfère accompagner son maître dans les endroits les plus bruyants plutôt que rester seul à la maison. Calme dans un salon, il devient à la campagne un vrai petit diable, toujours partant pour de longues balades.

• **APTITUDES :** Excellent équilibre caractériel, écoute du maître, grande intelligence : voilà les critères qui font de cette race l'une de celles qui s'éduquent le plus facilement. On voit régulièrement des cavaliers concourir dans les épreuves d'obéissance aux États-Unis, en Angleterre et en Hollande. Sans être des bolides, ils prennent au sérieux les exercices et savent les exécuter correctement, tout en restant joyeux. En France, ce sont d'excellents concurrents en agility, où ils montent bien souvent sur les plus hautes marches du podium.

STANDARD

Taille : de 32 à 36 cm au garrot.
Poids : de 5,5 à 8 kg.
Longévité : 11 ans.

Chien chinois à crête

Syn. : Chinese crested dog

• **Historique :** Les chiens nus ont une origine fort ancienne, mais difficile à situer. Le chien nu de Chine s'appelle ainsi car il fut introduit aux États-Unis par des marins chinois. Il existe aussi des chiens nus en Amérique du Sud et dans de nombreux autres pays. Favorisée par les échanges maritimes, il est possible que la diffusion des chiens nus se soit opérée dans le monde entier, sans que l'on puisse retrouver leur véritable origine.

Le chien chinois a un physique bien particulier !

• **Aspect physique :** Le chien chinois à crête est un petit chien gracieux à l'ossature fine. Son crâne est légèrement arrondi et allongé. Son museau s'amincit sans être pointu et sa truffe est proéminente. Ses yeux sont presque noirs et ses oreilles grandes et dressées. La poitrine du chien chinois est large et profonde. Ses membres sont longs et fins. Il ne doit pas avoir sur le corps de larges plages poilues. La peau est lisse et chaude au toucher. Toutes les couleurs sont admises.

• **Comportement :** Très affectueux, le chien nu de Chine se montre toujours tendre avec ses maîtres. Il est en revanche réservé avec les étrangers et gardera toujours ses distances. De caractère très sensible, il est particulièrement précoce : il faut donc lui inculquer assez tôt les principes de base de l'éducation.

• **Aptitudes :** Le chien nu de Chine est très dynamique et il a donc besoin de se dépenser régulièrement. Malgré son absence de poil, il n'est pas très fragile, mais nécessite impérativement l'application d'un écran solaire en cas d'exposition prolongée. L'impression de chaleur donnée par sa peau nue en fait un chien parfois utilisé comme bouillotte et réputé soigner les rhumatismes !

Standard

Taille : de 23 à 33 cm au garrot.
Poids : moins de 5,5 kg.
Longévité : 13 ans.

Chihuahua

Le chihuahua est le plus petit chien du monde.

• **HISTORIQUE :** Le chihuahua, le plus petit chien du monde, vient de la province mexicaine qui lui a donné son nom. Il descend vraisemblablement du techichi, un petit chien très apprécié par les Toltèques, un peuple mexicain qui a précédé les Aztèques, et dont la civilisation a connu son apogée au Xe siècle. On a d'ailleurs retrouvé de nombreuses représentations de ces chiens dans les ruines des anciennes pyramides. Après l'extermination des Aztèques par les conquistadors, il faudra attendre la fin du XIXe siècle pour que les chihuahuas soient redécouverts par les Américains. En 1904, le premier chihuahua sera inscrit au Kennel Club américain.

• **ASPECT PHYSIQUE :** Le chihuahua est un petit chien au corps ramassé, au crâne bien arrondi, en forme de pomme. Son museau est court, droit vu de profil, avec une truffe assez courte. Ses yeux sont grands, arrondis, d'une couleur très foncée. Les oreilles du chihuahua sont importantes, dressées, larges à leur attache, elles s'amincissent progressivement à l'extrémité, légèrement arrondie. Le corps du chihuahua est compact et bien structuré, avec un rein court et musclé. Sa queue est attachée haut, d'une longueur modérée, elle est épaisse à son attache et s'affine ensuite. Son poil peut être court ou long, de toutes les couleurs et de toutes les combinaisons possibles.

Toutes les couleurs de robe sont autorisées chez le chihuahua.

• **Comportement :** Le chihuahua est un petit compagnon fort agréable, toujours très proche de son maître. Il sait remarquablement s'adapter à son humeur et sera ainsi toujours au diapason. Très intelligent, malicieux et futé, il mènera tout son petit monde par le bout du nez ! D'un caractère équilibré et sociable, le chihuahua s'entend généralement très bien avec ses congénères. Mais il n'a pas toujours conscience de sa petite taille et n'hésitera pas à se mesurer à beaucoup plus gros que lui : à surveiller ! Vif et joyeux, ce petit chien met du soleil dans la maison par ses facéties !

• **Aptitudes :** Malgré son apparente fragilité, le chihuahua appréciera les promenades dans la nature avec ses maîtres. Toutefois, pas question de lui faire courir le marathon ! Mais, confiné dans un appartement à longueur de journée, il pourrait devenir capricieux et difficile à vivre : un juste milieu s'impose ! Très bon avertisseur, il n'hésitera pas à se faire entendre si un intrus se présente à votre porte. Particulièrement adapté à la vie en ville, il pourra accompagner ses maîtres partout, porté dans un sac ou dans les bras : poids plume, on le sent à peine !

Standard

Taille : de 16 à 30 cm au garrot.
Poids : de 0,5 à 3 kg.
Longévité : 12 ans.

Le chihuahua est un petit chien curieux et vif.

L'anecdote

Quand sa Jeep a été emboutie par une Chrysler sur le parking de Taco Bell, Tinker Melonuk est sorti de sa voiture pour demander une petite explication au chauffard. Sur le siège conducteur se tenait un chihuahua, Mr. Chips, une patte sur le volant. Mr. Melonuk, un pasteur baptiste, s'est dit : « Si ce chien dit quoi que ce soit, je me tire de là. » Mais Mr. Chips n'avait pas du tout l'intention de contester les faits : sa propriétaire, Connie Sies, une vénérable dame de 77 ans s'était arrêtée pour lui acheter son petit quatre-heures. Quand elle est descendue de voiture pour payer sa commande, son pied a glissé de la pédale de frein et la Chrysler est partie, Mr. Chips à l'intérieur... Mr. Chips et son bolide firent une équipée sauvage, traversant une route à cinq voies et terminant leur folle course contre la Chrysler de Tinker Melonuk, sur le parking de Taco Bell, en face !

Cocker américain

Syn. : American cocker spaniel

Le cocker américain a un corps robuste et une tête au crâne arrondi.

• **HISTORIQUE :** Les cockers existent depuis fort longtemps en Angleterre. Ces chiens ont été sélectionnés au fil des siècles pour aider le chasseur de gibier à plume. Leur tâche était de rechercher les oiseaux dans les buissons et les fourrés et de les obliger à s'envoler afin que le chasseur puisse les abattre. Le cocker américain descend directement de ces valeureux chasseurs ! Lorsqu'en 1882, l'American Spaniel Club est fondé, les Américains entreprirent de développer la race sur leur continent. Au fil des sélections, le cocker américain se distingua de plus en plus du cocker anglais, jusqu'à ce qu'en 1945, les deux races soient officiellement reconnues différentes l'une de l'autre, et les croisements entre elles interdits. Le cocker américain a un poil plus long et plus abondant que le cocker anglais, car, dès le début, les Américains voulaient en faire non plus un chien de chasse, mais uniquement un chien d'exposition.

Au fil des sélections le cocker américain est devenu un superbe chien d'exposition.

• **ASPECT PHYSIQUE :** Le cocker américain a un corps robuste et compact, sa tête est bien proportionnée avec un crâne arrondi. Ses yeux sont ronds, légèrement en amande, marron foncé, et ses oreilles sont longues et fines. Le corps du cocker américain est court et compact. Son dos est fort et descend légèrement jusqu'à l'attache de la queue. Ses hanches sont larges et son arrière-train est arrondi et musclé. Ses membres sont fortement charpentés et bien musclés. La queue du cocker américain est attachée dans le prolongement de la ligne du dos.

À l'aise partout, le cocker américain s'adapte à toutes les situations.

Son poil est court et fin sur la tête. Sur le corps, il est de longueur moyenne, soyeux, plat ou légèrement ondulé. Il forme des franges sur les oreilles, la poitrine, l'abdomen et les membres. Les couleurs autorisées sont toutes les couleurs unies, bicolores ou tricolores ou encore avec des marques feu.

• **COMPORTEMENT :** Le cocker américain a un caractère en or ! Il s'adapte à toutes les situations et son petit côté bohème lui permettra d'être à l'aise partout. Toujours de bonne humeur, il adore faire le pitre pour faire rire la maisonnée. D'un caractère facile et particulièrement équilibré, le cocker américain est très intelligent. Toutefois, il est assez facilement rebelle à l'autorité et aura tendance à ne pas obéir au doigt et à l'œil… Il sera donc utile de répéter les ordres de base plusieurs fois afin qu'il les assimile bien et envisage d'y obéir ! Très sociable, il s'entend bien avec tout le monde et se montrera toujours amical avec les autres chiens.

• **APTITUDES :** Le cocker américain a bien oublié qu'il fut autrefois un chien de chasse ! Le gibier ne le passionne pas vraiment, mais il a gardé de ses ancêtres le goût pour le rapport. Il ramènera avec plaisir pantoufles, jouets égarés et journaux ! S'il a été créé aux États-Unis pour la vie dans les grandes villes, il n'en apprécie pas moins les grandes balades, au risque d'abîmer sa luxueuse fourrure ! Il a besoin de se dépenser régulièrement, et une vie sédentaire et réglée comme du papier à musique ne lui conviendra pas. Vif et intelligent, il peut s'illustrer en agility ou en obéissance, où il montrera toute l'étendue de ses talents !

STANDARD

Taille : de 34 à 39 cm au garrot.
Poids : de 10 à 12 kg.
Longévité : 12 ans.

L'ANECDOTE

Le cocker américain acquit une grande popularité grâce au dessin animé de Walt Disney, *la Belle et le Clochard*, sorti en 1956. L'héroïne du dessin animé, Belle (*Lady* aux États-Unis), était un cocker américain, dont les expressions et les attitudes avaient été très justement rendues.

Coton de Tuléar

• **HISTORIQUE :** L'histoire du coton de Tuléar a un petit parfum d'exotisme et d'aventure surprenant pour un petit chien de salon ! Le coton, qui a vu le jour à Madagascar au XVIe siècle, est apparenté au groupe des bichons... et pour cause ! En effet, certains d'entre eux sont arrivés dans l'île sur les bateaux des marins où ils étaient chargés d'éliminer les rats ; ils se sont croisés sur place avec des terriers autochtones. Le résultat de ces unions fut ce petit chien blanc, dont le poil cotonneux est à l'origine de son nom, Tuléar étant le nom d'une petite ville portuaire de l'île. Les cotons sont arrivés bien tard en France, puisque ce n'est qu'en 1977 que l'on put admirer les premiers spécimens importés.

• **ASPECT PHYSIQUE :** Le coton de Tuléar est un petit chien à longs poils cotonneux, aux yeux à l'expression intelligente. Sa tête est courte et triangulaire, avec un stop peu accentué. Sa truffe est noire, avec des lèvres fines. Ses yeux sont ronds, foncés et vifs. Ses oreilles sont tombantes, minces et triangulaires. Le cou du coton de Tuléar est bombé et musclé. Dos et rein sont très légèrement voussés et bien musclés. Les membres du coton de Tuléar ont des aplombs verticaux et des pieds petits et ronds. Son poil est fin, d'environ 8 cm de long, légèrement ondulé. La seule couleur autorisée est le blanc, quelques taches jaunes ou grises sont cependant admises.

Le coton de Tuléar a un poil fin, long, légèrement ondulé et généralement d'un blanc uniforme.

• **Comportement :** Le coton de Tuléar est un petit chien gai, très dynamique, et l'on dit de lui qu'il est un anti-stress idéal. Ce qui est bien vrai, car sa jovialité et sa bonne humeur sont contagieuses. Intrépide et taquin, il cherche toutes les bonnes occasions pour jouer comme un fou : vous ne vous ennuierez jamais avec un coton ! Mais attention, sa frimousse craquante ne doit pas vous faire oublier les bons principes d'une éducation réussie : douceur et fermeté, si vous ne voulez pas tourner en bourrique ! Contrairement aux apparences, sa robe est assez facile d'entretien, car il suffira d'un coup de brosse quotidien pour la débarrasser des saletés. En revanche, si le chien vit beaucoup dehors, il faudra le baigner régulièrement, tous les quinze jours environ. Très affectueux, le coton s'entend très bien avec les enfants et sera pour eux un compagnon de jeux inlassable ! Il est sociable avec ses congénères et les autres animaux, et sera ravi de la présence de l'un d'entre eux pour briser sa solitude !

• **Aptitudes :** Le coton de Tuléar, sous ses airs angéliques, a gardé de ses ancêtres terriers le goût de la chasse et n'hésitera pas à retourner votre jardin pour attraper un quelconque nuisible ! Car pour un petit chien, il est très costaud. À une forte personnalité s'ajoute une robustesse à toute épreuve, qui lui permet de vivre dehors même sous nos latitudes. Mais le coton est aussi un vrai chien de compagnie, il ne faut pas l'oublier. Laissé seul trop longtemps ou trop souvent livré à lui-même, il serait malheureux et risquerait de faire des bêtises. S'il se sent délaissé, il peut aboyer des heures sans discontinuer pour montrer son mécontentement ! En revanche, il saura aboyer à bon escient pour prévenir de l'arrivée d'un étranger. Très sportif, il montrera des dons certains pour l'agility. Il adore accompagner son maître pour de longues balades et ne pourra que très difficilement se contenter d'une petite sortie hygiénique matin et soir. Un exercice quotidien, ou, au pire, hebdomadaire, est indispensable à son équilibre.

Standard

Taille : de 22 à 32 cm au garrot.
Poids : de 3,5 à 6 kg.
Longévité : 13 ans.

Le coton de Tuléar peut montrer son mécontentement s'il est laissé seul trop longtemps.

Épagneul japonais

Syn. : Chin

• **HISTORIQUE :** Les ancêtres de l'épagneul japonais furent offerts en 732 par les souverains coréens à la cour du Japon. Au cours des années qui suivirent, de nombreux épagneuls japonais furent importés au Japon. En 1613, le premier épagneul japonais arriva en Europe, ramené par un capitaine britannique. En 1853, l'empereur du Japon offrit sept sujets au commandant américain Perry. Depuis cette époque, l'épagneul japonais est très prisé aux États-Unis et en Europe.

D'aspect élégant et gracieux, l'épagneul japonais a conquis la cour du Japon avant de devenir le chou-chou des États-Unis et de l'Europe.

• **ASPECT PHYSIQUE :** C'est un petit chien à la face large, d'aspect élégant et gracieux. Son crâne est large et arrondi, avec de grands yeux ronds, bien écartés et d'un noir brillant. Ses oreilles sont longues, triangulaires et tombantes. La queue de l'épagneul japonais est portée sur le dos et recouverte d'un beau poil abondant. Son poil est soyeux, droit et long. Les couleurs autorisées sont le blanc marqué de noir ou de rouge.

• **COMPORTEMENT :** Très exubérant, l'épagneul japonais adore faire le pitre pour attirer l'attention de tout son petit monde ! Il est très sociable et s'entendra aussi bien avec les enfants de la maison qu'avec ses congénères, et même des chats ! En revanche, il se montre assez sélectif dans ses amitiés et ne recherchera pas les attentions de quelqu'un qui lui est étranger.

• **APTITUDES :** Chien d'appartement par excellence, l'épagneul japonais est très heureux dans un petit espace, du moment qu'il est avec ses maîtres. Il peut se satisfaire sans problème d'une vie sédentaire, même s'il ne boudera jamais la perspective d'une belle promenade.

STANDARD

Taille : environ 25 cm au garrot.
Poids : de 3 à 4 kg.
Longévité : 12 ans.

Épagneul-papillon

Syn. : Épagneul nain continental

• **Historique** : L'épagneul-papillon est une race fort ancienne, déjà représentée dans les tableaux de Giotto (1266-1337), puis au fil des siècles, dans de nombreuses œuvres de maîtres. Très prisé par les rois et la noblesse, il était présent dans toutes les cours, de l'Italie à la France, en passant par les Flandres. À partir du début du XIXe siècle, avec l'arrivée de nombreuses races concurrentes, la popularité de l'épagneul-papillon déclina peu à peu en France. En Belgique, en revanche, la race était toujours populaire et régulièrement élevée. L'épagneul-papillon doit son nom à ses oreilles, portées dressées comme des ailes de papillon. La variété d'origine, l'épagneul-phalène, s'est trouvée peu à peu supplantée par cette race beaucoup plus populaire. Le premier épagneul-papillon inscrit au Livre des origines français s'appelait Mousseline, né en 1894.

L'épagneul-papillon était présent dans toutes les cours d'Europe.

• **Aspect physique** : L'épagneul-papillon est un petit chien d'aspect vif et gracieux et cependant robuste. Sa tête est bien proportionnée par rapport au corps, avec un museau fin, court et effilé. Sa truffe est petite, noire et arrondie, mais légèrement aplatie sur le dessus. Ses yeux sont grands, bien ouverts, en forme d'amande. Ils sont de couleur foncée et très expressifs. Ses oreilles sont fines et ne doivent pas pointer vers le haut. La poitrine de l'épagneul-papillon est large et bien descendue. Ses membres sont parallèles, droits, fermes et assez fins. Sa queue est attachée assez haut, plutôt longue, très frangée. Son poil, qui ne comporte pas de sous-poil, est abondant, brillant et ondulé, avec des reflets soyeux. Toutes les couleurs sont admises sur un fond blanc.

• **Comportement** : Vif et équilibré, l'épagneul-papillon est obéissant et se conforme facilement aux souhaits de son maître. Il est très facile à éduquer, pour peu que l'on fasse preuve dès son plus jeune âge d'une douce fermeté. Il est très sensible et a donc besoin d'un maître qui sache se montrer doux sans faiblesse excessive. Facile à vivre, l'épagneul-papillon est entièrement dévoué à ses maîtres. Son caractère attachant en fait un compagnon très agréable, que l'on peut emmener partout avec soi. Il est particulièrement sociable et ne se sent jamais intimidé par un étranger, qu'il entreprendra dès la première minute de charmer par ses airs enjôleurs. Très joueur, il garde toute sa vie un tempérament de chiot et prendra toujours plaisir à faire le fou. Avec les enfants, il est un compagnon idéal, qui se dépensera sans compter pour participer à leurs jeux.

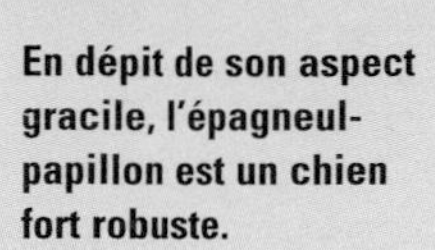

En dépit de son aspect gracile, l'épagneul-papillon est un chien fort robuste.

• **APTITUDES :** L'épagneul-papillon s'adapte aussi bien à la vie citadine qu'à la vie à la campagne, même s'il a un petit faible pour les jardins. Sportif malgré sa toute petite taille, il peut sans complexes jouer au grand en participant à des concours d'obéissance ou d'agility si son maître l'y entraîne. Son obéissance naturelle sera un atout de poids dans toutes les disciplines. Toujours sur le qui-vive, il saura aboyer au moindre bruit suspect et prévenir de l'arrivée d'un inconnu. En dépit de son aspect gracile, l'épagneul-papillon est un chien fort robuste, qui n'a pas besoin d'être traité comme une porcelaine rare ! Son poil ne nécessite pas d'entretien particulier. En somme, c'est un petit compagnon bien facile à vivre !

Très obéissant, l'épagneul-papillon est facile à éduquer.

STANDARD

Taille : environ 28 cm au garrot.
Poids : de 1,5 à 5 kg.
Longévité : 13 ans.

Épagneul pékinois

Syn. : Pekingese, pékinois

L'épagneul pékinois fut longtemps l'apanage de la cour impériale chinoise.

• **HISTORIQUE :** L'épagneul pékinois, ou plus simplement le pékinois, fut, pendant des siècles, l'apanage de la famille impériale chinoise et cantonné dans la Cité interdite. L'on sait donc peu de choses de lui et de sa sélection, si ce n'est que les eunuques avaient la charge de son élevage et de son entretien. Les premiers pékinois arrivèrent en Europe en 1860, après le sac du Palais d'Été de Pékin. Des soldats anglais avaient récupéré quelques sujets et les avaient ramenés en Grande-Bretagne. L'implantation de la race se poursuivit quelques années plus tard, dans les années 1890, avec l'importation d'autres sujets. En France, le premier pékinois sera inscrit au Livre des origines français en 1904.

• **ASPECT PHYSIQUE :** Le pékinois est un petit chien bien proportionné et trapu. Sa tête est massive, avec un crâne large et plat. Son museau est large, très court et très ridé avec des narines larges et noires. Ses yeux sont grands, foncés et brillants. Ses oreilles sont en forme de cœur, tombantes et bien frangées. Le corps du pékinois est particulièrement large devant et plus étroit vers la taille. Ses membres sont courts et épais. Sa queue est placée haut, portée fermement, légèrement recourbée sur le dos. Le poil du pékinois est long, droit, avec une crinière abondante formant une collerette autour du cou. Le poil de couverture est plutôt rude, le sous-poil est très épais, avec de longues franges aux oreilles, aux membres et à la queue. Toutes les couleurs sont admises, à l'exception d'albinos et foie.

• **COMPORTEMENT :** Si le physique du pékinois ne laisse pas indifférent, il en va de même de son caractère ! Fier, indépendant, il a un tempérament de chat dans un corps de chien ! Très réservé, il montre généralement une indifférence totale aux étrangers et réserve ses attentions à son maître. Celui-ci devra l'éduquer avec patience et fermeté, car l'obéissance n'est pas l'une de ses principales vertus ! Forte tête, le pékinois a besoin d'une éducation ferme mais douce, au risque, si ce n'est pas le cas, de devenir agressif. Particulièrement intrépide, il ne reculera devant aucun chien, ne cédant pas d'un coussinet ses prérogatives sur le canapé. Il est donc plus prudent d'éviter la cohabitation avec des congénères, sauf peut-être d'autres pékinois.

• **APTITUDES :** Chien de compagnie exclusivement, le pékinois n'est pas un sportif, loin de là ! Plus enclin à paresser sur les coussins des salons qu'à courir dans la nature, il vit très heureux en ville et en appartement. Il n'a pas besoin de faire de grandes promenades, et une petite balade de temps en temps suffira à son bonheur. Sa fourrure impressionnante requiert un entretien presque quotidien : il sera donc préférable de ne pas le laisser se salir lors des sorties !

Le pékinois a un caractère bien affirmé, qui nécessite une éducation adaptée.

STANDARD

Taille : de 12 à 25 cm au garrot.
Poids : de 5 à 5,5 kg.
Longévité : 14 ans.

L'ANECDOTE

La célèbre romancière américaine Edith Wharton posséda toute sa vie des pékinois et les plaçait tout en haut de sa liste des choses importantes, juste après la justice et l'ordre ! Au décès de chacun d'entre eux, l'écrivain montra beaucoup de chagrin et fut affectée durablement par chacune de ces disparitions. Juste après la mort de l'un d'eux, Linky, elle écrivit : « Ils rencontrèrent jadis un garçon qui comprenait ce que les oiseaux disaient ; j'ai toujours été ainsi avec les chiens, depuis ma plus tendre enfance. Nous communiquons réellement et personne n'eut jamais de choses aussi gentilles à dire que Linky. »

Les pékinois sont des compagnons merveilleux.

Épagneul-phalène

Syn. : Épagneul nain continental

• **HISTORIQUE :** L'épagneul-phalène est une race franco-belge, que l'on peut reconnaître sur de nombreux tableaux de maîtres. On retrouve ses origines dès le XIVe siècle dans la région des Flandres. Si le phalène est la variété d'origine, elle a peu à peu été supplantée par la variété papillon, qui connaît depuis le XIXe siècle une grande popularité.

• **ASPECT PHYSIQUE :** L'épagneul-phalène est un petit chien d'aspect robuste. Sa tête est proportionnée au corps, avec un museau fin. Sa truffe est petite, noire et arrondie. Ses yeux sont grands et foncés. Ses oreilles sont fines, portées pendantes. Les membres de l'épagneul-phalène sont parallèles, droits, fermes et assez fins. Sa queue est attachée assez haut, plutôt longue, très frangée. Son poil est abondant, brillant et ondulé, avec des reflets soyeux. Toutes les couleurs sont admises sur un fond blanc.

STANDARD

Taille : environ 28 cm au garrot.
Poids : de 1,5 à 5 kg.
Longévité : 13 ans.

• **COMPORTEMENT :** Vif et équilibré, l'épagneul-phalène est très obéissant et facile à éduquer, pour peu que l'on fasse preuve d'une douce fermeté. Facile à vivre, l'épagneul-phalène est entièrement dévoué à ses maîtres. Son caractère très attachant en fait un compagnon vraiment agréable, que l'on peut emmener partout avec soi.

• **APTITUDES :** L'épagneul-phalène est fait pour vivre en ville, mais s'adapte très bien à la campagne. Sportif malgré sa petite taille, il peut sans complexe jouer « au grand » en participant à des concours d'obéissance ou d'agility si son maître l'y entraîne. Son obéissance naturelle sera un atout de poids dans toutes les disciplines. Il saura aboyer au moindre bruit suspect et prévenir de l'arrivée d'un inconnu.

Contrairement à l'épagneul-papillon, les oreilles de l'épagneul phalène sont tombantes.

Épagneul du Tibet

• **HISTORIQUE :** L'histoire de l'épagneul du Tibet est fort difficile à reconstituer, mais il semblerait qu'il remonte au moins au VIIe siècle, date de l'installation du bouddhisme lamaïque dans cette région. L'épagneul du Tibet aurait ensuite peu à peu essaimé dans toute la région, jusqu'au Bhoutan et à Hong Kong. Les lamas l'utilisaient à diverses tâches, pour tourner les moulins à prières comme pour servir de sentinelle et d'avertisseur. Les premiers épagneuls tibétains sont arrivés en Grande-Bretagne tout à la fin du XIXe siècle, et l'un d'eux, Yezo, fut présenté en exposition en 1898. Mais il faudra attendre les années quarante pour que l'élevage démarre véritablement.

L'épagneul du Tibet tournait les moulins à prière dans les lamasseries.

• **ASPECT PHYSIQUE :** L'épagneul du Tibet est un petit chien actif et bien proportionné. Sa tête est petite, avec un crâne légèrement en dôme. Son museau est un peu aplati, avec une truffe noire. Ses yeux sont ovales, moyens et assez écartés, de couleur marron foncé. Ses oreilles sont de taille moyenne, pendantes, attachées haut et bien frangées. Le corps est un peu plus long que haut. Ses membres ont une ossature assez forte et sont légèrement arqués. Sa queue est attachée haut, abondamment garnie de poils, portée gaiement en formant une boucle sur le dos quand le chien est en action. Le poil de couverture de l'épagneul du Tibet est de texture soyeuse, court sur la face et la partie antérieure des membres et de longueur moyenne sur le corps. Le sous-poil est fin et dense. Les oreilles, les pattes et la queue sont bien garnies de franges. Toutes les couleurs et tous les mélanges de couleur sont admis.

Chez l'épagneul du Tibet, toutes les couleurs et tous les mélanges de couleurs sont admis.

L'épagneul du Tibet a des attitudes de félin.

• **Comportement :** L'épagneul tibétain est un vrai clown avec ses intimes, mais reste sérieux comme un pape avec les étrangers ! C'est un vrai tibétain, qui ne se livre pas au premier abord à n'importe qui, mais gagne, ô combien, à être connu ! Très joueur, il amusera ses maîtres par ses facéties et adorera capter l'attention de tous par ses mimiques. Si l'épagneul tibétain ressemble parfois un peu à un singe par ses grimaces et son air (faussement) renfrogné, il a par contre tout à fait le caractère du chat. Des poses alanguies, un goût certain pour les positions d'observation en hauteur et des attitudes de jeu très félines confèrent à ce petit chien très attachant une ressemblance frappante avec le chat.

• **Aptitudes :** L'épagneul du Tibet a quitté ses montagnes ancestrales depuis longtemps et a plutôt perdu le goût des grands espaces..., crapahuter, ce n'est pas son truc ! Il préférera de beaucoup rester tranquille à la maison, à se prélasser sur quelque coussin au coin du feu... Les sports canins le laisseront généralement indifférent, et, à moins de lui faire pratiquer très jeune un entraînement intensif, il n'y fera pas d'étincelles ! Le tibétain s'épanouira tout à fait dans une vie calme et rangée en appartement, agrémentée de sorties quotidiennes. Bien qu'il ne soit pas un grand aventurier, il n'est pas timoré pour autant et ne montrera aucune peur devant les bruits de la cité ou les congénères qu'il pourrait rencontrer. Il s'entend généralement bien avec les autres chiens, et son caractère placide lui permet de s'adapter à toutes les situations.

Standard

Taille : environ 25,5 cm au garrot.
Poids : de 4 à 7 kg.
Longévité : 14 ans.

Griffon belge

• **HISTORIQUE :** Le griffon belge descend des griffons d'écurie, de petits chiens allemands qui étaient fort prisés pour la chasse aux rongeurs dans les fermes. Ces chiens furent croisés avec des terriers à la fin du XIXe siècle. En 1880, un griffon était présenté pour la première fois en exposition en Belgique, et en 1883 les différentes variétés seront reconnues séparément : griffon belge, griffon bruxellois et petit brabançon.

Le griffon belge est un petit chien plein de vitalité.

• **ASPECT PHYSIQUE :** Le griffon belge est un petit chien robuste et de forme ramassée. Son crâne est large et rond, au front bien bombé. Sa truffe est noire et large. Son menton est proéminent et large, dépassant nettement la mâchoire supérieure. Ses yeux sont très grands, noirs et tout ronds. Ils doivent être écartés et saillants. Ses oreilles sont très droites. Les membres du griffon belge sont droits et tout à fait d'aplomb. Son poil est dur, ébouriffé et demi-long. Les couleurs admises sont le noir, le noir et roux et le noir et feu.

• **COMPORTEMENT :** Curieux, intelligent et très sensible, le griffon belge est un petit chien plein de vitalité. Très attachant, il cherchera par tous les moyens à plaire à son maître ; il est pour cela facile à éduquer. Vif et joyeux, c'est un compagnon sociable, très propre et vraiment facile à vivre.

• **APTITUDES :** Le griffon belge est plein d'assurance et ne s'en laisse pas conter, ni par les étrangers, ni par les gros chiens ! Ce n'est pas un chien d'extérieur : son ancienne appellation, chien de dame, en est la preuve la plus évidente ! Il s'épanouira tout à fait en appartement, s'il peut bénéficier de sorties régulières.

STANDARD

Taille : de 18 à 28 cm au garrot.
Poids : de 3 à 5 kg.
Longévité : 12 ans.

King-charles

• **Historique :** Le king-charles fait partie de la famille des spaniels, chiens développés en Grande-Bretagne pour la chasse au gibier à plume. Au fil des siècles, ces chiens, affectueux et doux, quitteront peu à peu les chenils pour devenir les compagnons des rois et de la cour. Très apprécié par la lignée des Stuarts, le king-charles sera essentiellement popularisé par Charles II d'Angleterre (1630-1685), qui lui donna son nom. La race a sans doute été croisée au fil des années avec d'autres chiens, comme les épagneuls asiatiques, les épagneuls continentaux ou encore le carlin. Ces accouplements successifs contribuèrent à donner une plus petite taille au king-charles ainsi qu'un museau plus court. Le club anglais du king-charles est fondé en 1882, et dix ans plus tard la race sera officiellement reconnue par le Kennel Club. En France, le king-charles est inscrit dès la création du Livre des origines français, en 1885, et donc reconnu officiellement à cette date.

• **Aspect physique :** Le king-charles est un petit chien à la tête très caractéristique. Son crâne est volumineux par rapport à sa taille et bien en dôme. Son museau est carré, large, court et retroussé, sa truffe noire avec de grandes narines. Ses yeux sont très grands et très sombres, bien écartés. Ses oreilles sont attachées bas, elles pendent à plat contre les joues et sont longues et nettement frangées. Le dos du king-charles est court et droit et sa poitrine est large. Ses membres antérieurs sont courts et droits, ses membres postérieurs bien musclés. Sa queue est frangée et portée dans le

Le king-charles se caractérise par son crâne volumineux et bien en dôme.

prolongement du dos. Le poil du king-charles est long, soyeux et raide, une légère ondulation est cependant admise. Les membres, les oreilles et la queue portent des franges abondantes. Les couleurs admises sont le noir et feu, le tricolore (blanc, noir et feu), le blenheim (fond blanc avec marques rouges) et le ruby (unicolore rouge châtain).

Les couleurs admises dans le standard de la race sont le noir et feu, le tricolore, le blenheim (ci-contre) et le ruby.

• **COMPORTEMENT :** Le king-charles est vraiment un chien facile à vivre ! Calme, il sait ne pas se faire remarquer lorsque c'est nécessaire. Il a de grandes capacités d'adaptation qui lui permettent de suivre son maître où qu'il aille, sans jamais poser de problèmes. Très équilibré, il n'est pas aboyeur et il a très bon caractère. Vraiment affectueux, il est proche de ses maîtres et se révèle un merveilleux compagnon de jeux pour les enfants, avec qui il s'entend très bien.

• **APTITUDES :** Le king-charles n'est pas un foudre de guerre et le sport canin ne l'attire pas particulièrement. Comme tous les chiens à museau écrasé, il s'essouffle vite et ne doit pratiquer le sport qu'à petites doses. Il sera toutefois toujours partant pour une petite balade, car curieux de tout, il aimera observer la nature. Il faudra cependant veiller en été à ce qu'il ne se fatigue pas trop, toujours en raison de ses limites respiratoires.

STANDARD

Taille : de 25 à 30 cm au garrot.
Poids : de 3,5 à 6,5 kg.
Longévité : 12 ans.

L'ANECDOTE

En 1833, Dash, un petit king-charles est offert à la jeune Victoria, qui est encore princesse. La jeune fille va littéralement s'enticher du petit chien qui deviendra son confident et une source de réconfort dans le palais de Kensington, quelque peu lugubre. En 1837, à la mort de Guillaume IV, Victoria devient reine et emménage avec Dash à Buckingham Palace. Dès la cérémonie du couronnement terminée, la jeune reine se précipita pour retrouver son chien ! Dash mourut en 1840 et fut enterré dans le parc du château.

Lhassa-apso

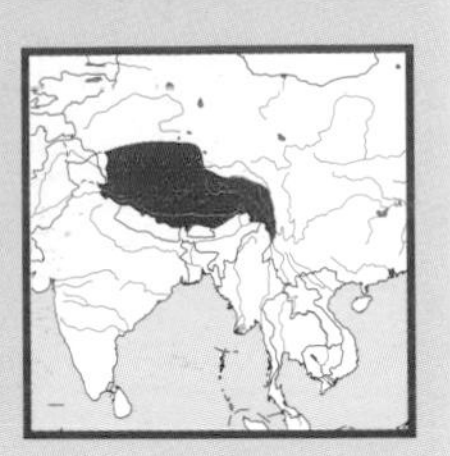

Le lhassa-apso est un très bon compagnon, toujours de bonne humeur. Indépendant et réservé, il a un caractère de chat !

• **Historique :** Le lhassa-apso vient du Toit du monde et son histoire est liée à celle des moines tibétains. Ses origines sont peu connues et assez controversées, ce qui est compréhensible, vu l'isolement du Tibet. La première partie de son nom fait directement référence à la capitale de son pays d'origine ; quant à apso, cela viendrait du tibétain *apsoo*, qui veut dire chèvre, en référence à la texture de son poil ! Le lhassa était un animal sacré au sein des lamaseries, et il était interdit de faire commerce d'animal vivant. Il servait d'avertisseur grâce à son excellente ouïe. Les premiers spécimens sont sans doute arrivés en Angleterre aux alentours de 1900, ramenés par un colonel à qui l'on avait offert un mâle et deux femelles. Ce n'est que dans les années cinquante que les premiers lhassas arrivèrent en France.

• **Aspect physique :** Le lhassa-apso est un petit chien harmonieux, robuste, au pelage abondant. Son crâne est étroit, avec un stop moyennement marqué et une truffe noire. Ses yeux sont grands, ovales et de couleur sombre. Ses oreilles sont pendantes et portent des franges abondantes. Son corps est bien proportionné et compact. Son cou est fort, avec un profil bien galbé. Les membres du lhassa-apso sont développés et garnis de poils. Sa queue est attachée haut, avec souvent un nœud à son extrémité. Le poil du lhassa-apso est long, abondant, droit et dur. Les couleurs autorisées sont : doré, sable, miel, gris foncé, ardoise, fumée, noir, blanc ou brun.

• **Comportement :** Gai, vivant, le lhassa-apso est un excellent compagnon, toujours de bonne humeur. Il possède un caractère très affirmé et assez peu ordinaire au sein de l'espèce canine. En effet, du chat, il a le goût de l'indépendance, le sens du confort et la réserve naturelle. Du chien, il a la fidélité, le côté joueur et l'aptitude à la garde ! Il a de plus une santé de fer, héritée de ses origines tibétaines. Sa seule contrainte véritable est l'entretien de son poil, assez fastidieux. Sa dignité tout orientale sait toujours gagner le cœur des plus stressés ! Très attaché à son maître, sous ses airs indifférents, il surveille ses moindres allées et venues. Avec les enfants, ses rapports sont à surveiller, car il n'apprécie pas d'être dérangé ou taquiné sans cesse.

• **APTITUDES :** Le lhassa-apso est un très bon avertisseur, qui saura vous prévenir, toujours à bon escient, de la venue d'un étranger à la maison. Il a une ouïe très fine et un excellent odorat qui lui permettront de repérer de très loin l'arrivée d'un étranger. Il n'a pas oublié le temps où il gardait les lamaseries au Tibet ! Très casanier, il apprécie le calme et la vie en appartement et se contentera facilement de petites promenades quotidiennes. Sa superbe fourrure, qui nécessite un entretien régulier, ne convient vraiment pas à de grandes équipées en forêt !

Le lhassa-apso a un poil long, abondant, droit et dur.

STANDARD

Taille : environ 25,5 cm au garrot.
Poids : de 5 à 7 kg.
Longévité : 13 ans.

L'ANECDOTE

On raconte que le lhassa-apso, qui possède une très bonne ouïe et des réflexes rapides, était chargé de garder la chambre impériale du dalaï-lama contre les intrus, lions ou humains. Des dogues du Tibet gardaient les issues principales et faisaient le guet aux alentours, alors que les lhassas gardaient l'intérieur du palais. La légende veut que des intrus aient réussi à tromper la vigilance des dogues du Tibet, mais personne n'a jamais pu pénétrer dans une chambre gardée par un lhassa-apso !

 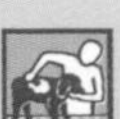  

Petit chien lion

• **HISTORIQUE :** Le petit chien lion fait partie de la famille des bichons et trouve ses origines, lointaines, dans le Bassin méditerranéen. Compagnon des rois et de la cour pendant des siècles, il est parfois difficile de le distinguer de ses cousins bichons. Alors qu'il est en voie de disparition au début du XXe siècle, une éleveuse belge entreprit de reconstituer la race. Relayée à sa mort par un éleveur allemand, l'entreprise rencontra le succès, et la race est aujourd'hui sauvée, mais toujours rare.

Le petit chien lion a une tonte bien particulière.

• **ASPECT PHYSIQUE :** Le petit chien lion a le corps et la queue tondus à la manière classique du caniche, ce qui lui donne l'aspect d'un petit lion. Sa tête est courte, avec un crâne assez large. Sa truffe est noire et ses yeux sont de couleur foncée. Ses oreilles sont pendantes, longues et bien garnies de poils. Ses membres sont droits et fins, sa queue est de longueur moyenne. Le poil du petit chien lion est long et ondulé et toutes les couleurs de robe sont admises, sauf le marron.

• **COMPORTEMENT :** Le petit chien lion est beaucoup plus facile à vivre que sa toilette de luxe peut le laisser penser. Il est d'un naturel gai et joueur sans être turbulent. Très sociable, il est amical avec les étrangers et s'entend généralement bien avec les autres chiens.

STANDARD

Taille : de 25 à 32 cm au garrot.
Poids : de 4 à 8 kg.
Longévité : 14 ans.

• **APTITUDES :** D'un caractère plutôt calme, le petit chien lion s'accommode fort bien d'une vie en appartement. Il peut toutefois tout à fait vivre heureux à la campagne, car sous son toilettage sophistiqué se cache un petit rustique ! Il jouit d'une santé de fer et ne négligera aucune occasion de faire une balade avec ses maîtres !

Très proches cousins, les petits chiens lions et les bichons sont parfois difficiles à distinguer.

Petit lévrier italien

Syn. : Piccolo levriero italiano

• **HISTORIQUE :** Le petit lévrier italien descend des lévriers de petite taille qui existaient déjà en Égypte ancienne, compagnons des pharaons. En passant par la Grèce, où de nombreuses représentations témoignent de sa présence, la race est arrivée en Italie dès le Vᵉ siècle avant J.-C. Elle s'est essentiellement développée à la Renaissance, époque où elle fut représentée sur de nombreuses toiles de maîtres. Le petit lévrier italien resta au fil des siècles le compagnon des grands de ce monde, jusqu'à sa démocratisation au XIXᵉ siècle. Vers 1880, l'apparition du whippet entrainera une miniaturisation de plus en plus importante du petit lévrier italien, afin de les distinguer. Elle sera la cause de problèmes de santé qui ne seront partiellement éradiqués qu'à partir de 1968, date de la publication d'un nouveau standard.

Le petit lévrier italien fut miniaturisé à partir de la fin du XIXᵉ siècle.

• **ASPECT PHYSIQUE :** Le petit lévrier italien est un chien longiligne, dont le tronc s'inscrit dans un carré. Sa tête est allongée et étroite avec un museau en pointe et une truffe noire. Ses yeux sont grands et expressifs, de couleur sombre. Les oreilles du petit lévrier italien sont attachées bien haut, petites et fines. Elles sont repliées sur elles-mêmes et portées en arrière sur la nuque. Son dos est droit, avec une région dorso-lombaire

L'ANECDOTE

Les premières courses de lévriers remontent à la Gaule celtique. Arrien, auteur grec du IIe siècle avant J.-C., rapporta que les Gaulois lançaient leurs lévriers à la poursuite du lièvre, non pas pour chasser l'animal, mais pour comparer la rapidité des chiens. En Angleterre, en 1550, le duc de Norfolk réglementa la poursuite du lièvre et elle devint un véritable sport sous Élisabeth Ire.

arquée. Sa poitrine est étroite et profonde. Ses membres sont bien d'aplomb, avec une musculature sèche. Sa queue est attachée bas et fine, même à sa racine. Droite à sa base, elle est ensuite portée recourbée. Le poil du petit lévrier italien est ras et fin sur tout le corps. Les couleurs admises sont le noir, le gris et le jaune dans toutes leurs nuances. Le blanc est toléré seulement au poitrail et aux pieds.

Le petit lévrier italien apprécie le calme et la tranquillité.

• **COMPORTEMENT :** Le petit lévrier italien n'est pas d'un naturel exigeant, cependant, il préférera le calme d'un appartement à une maison pleine de bruit et d'agitation ! Hypersensible, il ne faut surtout pas élever la voix contre lui, au risque de le traumatiser. Il a besoin d'une éducation en douceur et la compagnie des jeunes enfants est à proscrire. Leurs jeux turbulents ne conviennent pas du tout à son caractère. Moins distant que les autres lévriers, il n'est cependant pas chaleureux avec les gens qu'il ne connaît pas. En revanche, il est plutôt sociable avec les autres chiens et s'entend même bien – fait exceptionnel chez les lévriers ! – avec les autres animaux et en particulier les chats.

• **APTITUDES :** Comme pour tous les lévriers, pour le petit lévrier italien, la course, c'est la vie ! Même s'il ne fait pas partie des « bêtes à concours », il sera toujours partant pour un petit sprint. Les promenades à la campagne, en liberté, lui permettront de courir tout son soûl, mais avec sa modération habituelle. Ce n'est pas lui qui vous faussera compagnie en plein champ ! Très attaché à ses maîtres, il ne les oublie pas, et ne s'éloignera jamais beaucoup.

STANDARD

Taille : de 32 à 38 cm au garrot.
Poids : moins de 5 kg.
Longévité : 14 ans.

Pinscher nain

Syn. : Zwergpinscher

• **HISTORIQUE :** Le berceau du pinscher est la région du Wurtemberg, province d'Allemagne, qui s'étend de la Forêt-Noire aux bassins de la Souabe. Au XIXe siècle, le pinscher était présent dans de nombreuses fermes de cette région. Gardien de la maison, tueur de vermine, compagnon des enfants, c'est le chien de ferme idéal. Jusqu'au début du XIXe siècle les pinschers ne sont pas distingués en variétés de taille : on signale les premiers pinschers nains en 1836 à Ravensbrück. Le Pinscher-Klub est fondé le 3 mars 1895 à Nordhausen. Le club s'attelle, dès sa création, à mettre de l'ordre dans les caractéristiques des différentes variétés : le pinscher à poil ras est distingué du pinscher à poil dur. En 1900, le pinscher nain est reconnu. Mais le schnauzer, qui acquit rapidement après sa reconnaissance une grande popularité, éclipsa quelque peu son cousin à poil ras. Dans son pays d'origine, la race tomba dans un oubli presque total pendant les années cinquante. En France, le premier pinscher est inscrit au LOF en 1892, sous l'appellation de terrier d'écurie à poil ras.

Les seules couleurs autorisées chez le pinscher nain sont le fauve et le brun.

• **ASPECT PHYSIQUE :** Le pinscher est un chien carré, qui doit malgré sa finesse montrer de la puissance. Il ne doit en aucun cas être levretté, ce qui est considéré comme un défaut éliminatoire. Il est bien proportionné et robuste, mais néanmoins élégant. Ses yeux sont foncés et bien ovales, ses oreilles coupées sont attachées haut et dressées verticalement. Non coupées, elles sont repliées en V. Sa queue est attachée haut, relevée, raccourcie à environ trois vertèbres. Son poil est court et serré, couché bien à plat. Pour encourager le développement du noir et feu, le fauve avait été volontairement omis dans le premier standard. C'est aujourd'hui la seule couleur autorisée chez le pinscher nain, avec le brun.

• **COMPORTEMENT :** Vivant mais docile et racé, le pinscher s'adapte très bien au milieu urbain. C'est un chien gai et facétieux, toujours en mouvement. Son caractère l'incite à se montrer parfois querelleur avec ses congénères, mais une éducation appro-

Coupées, les oreilles du pinscher nain sont attachées haut et dressées verticalement.

priée permet de limiter cet aspect de sa personnalité. Naturellement sociable, il s'entend très bien avec les enfants.

Standard

Taille : de 25 à 30 cm au garrot.
Poids : de 2 à 4 kg.
Longévité : 12 ans.

• **Aptitudes :** Toujours en éveil, le pinscher avertit ses maîtres au moindre bruit insolite, sans pour autant aboyer à tout bout de champ. Son tempérament de feu nécessite des promenades quotidiennes suffisamment longues pour lui permettre de décharger un peu de son énergie. Si elles venaient à manquer, il pourrait se montrer nerveux et destructeur dans la maison. Très vif et parfois un peu hardi, il est préférable de le garder en laisse pour les petites promenades. À la campagne, son côté rustique s'accommodera fort bien d'un maître sportif, qu'il pourra suivre en trottinant à ses côtés. Excellent ratier et chasseur de nuisibles, il sautera sur la moindre occasion pour faire étalage de ses talents.

L'anecdote

Bien que germanique jusqu'au bout des coussinets, le pinscher doit son nom à l'anglais ! En effet, à la fin du siècle dernier, le professeur Roediger apportait l'explication suivante sur l'origine du mot pinscher : « Le mot *pinscher* est pris de l'anglais dans le sens propre de "qui pince, qui serre". Je pense donc que ce chien est ainsi dénommé pour sa manière de saisir et de tenir avec force. On pourrait donc naturellement aussi appeler pinscher tout chien qui saisit, à quelque race qu'il appartienne. »

Schipperke

• **HISTORIQUE :** Le schipperke est originaire de la région de Louvain, en Belgique. Petit chien de ferme, il chassait les nuisibles et prévenait de l'arrivée d'un inconnu. La première description du schipperke remonte au XVe siècle. Le club de la race sera fondé en 1888 et le premier standard publié la même année. En France, le premier schipperke est inscrit au Livre des origines français (et donc reconnu) le 9 octobre 1894.

• **ASPECT PHYSIQUE :** Le schipperke est un petit chien à la tête de renard, très remuant. Ses yeux sont brun foncé, plutôt ovales. Ses oreilles sont bien droites, petites, triangulaires et haut placées. La poitrine du schipperke est assez large et son dos est rectiligne. Ses membres sont droits, avec une ossature fine. Son poil est abondant, allongé autour du cou, où il forme une collerette, et long derrière les cuisses. Les seules couleurs autorisées sont noir ou poivre et sel.

Le schipperke était un petit chien de ferme fort apprécié en Belgique.

• **COMPORTEMENT :** Le schipperke est très remuant, toujours préoccupé de ce qui se passe autour de lui. Infatigable compagnon de jeux des enfants, il ne s'arrête jamais ! C'est un vrai tourbillon, qui, s'il met de l'animation dans la maison, peut aussi se montrer un peu trop aboyeur. Il faudra donc surveiller ce penchant pour éviter d'importuner les voisins !

STANDARD

Taille : de 22 à 33 cm au garrot.
Poids : de 3 à 8 kg.
Longévité : 13 ans.

• **APTITUDES :** Le schipperke est un excellent chien de garde, qui ne lie pas connaissance avec les étrangers. Il est tout à fait capable de mordre quelqu'un qui s'approcherait d'un objet qui lui est confié ! Il ne dort que d'une oreille et reste toujours à l'affût du moindre bruit dans la maison. Très bon chasseur de petits rongeurs, il débarrassera le jardin de tous ses indésirables !

Malgré sa petite taille, le schipperke est un très bon chien de garde.

Schnauzer nain

Syn. : Zwergschnauzer

• **Historique :** Originaire de la région du Wurtemberg en Allemagne, le schnauzer est le chien de ferme par excellence. Jusqu'à la fin du XIXe siècle, la distinction n'est pas faite entre les pinschers et les schnauzers. Ils sont tous appelés pinschers, les premiers à poil ras, les seconds à poil dur. La tête caractéristique du schnauzer, avec sa barbiche et ses moustaches, ainsi que d'épais sourcils, lui donnera sa dénomination actuelle : on le nommera *die Schnauze,* ce qui signifie la gueule ou le museau. Ce nom ne lui sera attribué d'une manière générale qu'en 1904. En 1880 est publié le premier standard, et en 1895 le premier club de la race va s'établir à Cologne. Au début du XXe siècle, on commence à distinguer les variétés qui mèneront du nain au géant. La variété naine est reconnue officiellement en 1913.

• **Aspect physique :** Le schnauzer nain est un petit chien robuste, à la tête allongée. Sa truffe est assez grosse et noire. Ses oreilles sont attachées haut et dressées verticalement. Ses yeux sont foncés et ovales. Sa poitrine est modérément large et son corps compact. Ses membres sont fortement musclés. Sa queue est attachée haut et portée verticalement. Le poil du schnauzer est dur, en fil de fer et serré. Une barbe et des sourcils broussailleux sont les caractéristiques typiques de la race. Les couleurs autorisées sont : noir, poivre et sel, noir et argent, blanc.

La barbe et les moustaches du schnauzer lui ont valu son nom.

• **Comportement :** Le schnauzer est un petit « bonhomme » plein de vie qui sait prendre l'existence du bon côté, avec la philosophie d'un Nietzsche, dont il a les moustaches ! Il n'a pas la nervosité d'un terrier, il n'a pas la fragilité de certaines races naines, il n'est ni précieux ni sensible et c'est un bon vivant. Petit par la taille, grand par le regard qu'il porte sur le monde et l'assurance qu'il démontre, il peut faire un chien de compagnie idéal. Le schnauzer fait souvent le distrait, si on ne sait pas comment le prendre. Son éducation doit être ferme et il faut avoir pour objectif de lui faire comprendre les exercices comme un jeu. Si l'on veut obtenir tout ce qu'on veut avec lui, il ne faut pas voir les choses comme un humain mais tenter de les percevoir de son point de vue canin.

• **Aptitudes :** Le schnauzer nain n'a rien perdu de ses aptitudes d'origine : on peut lui faire confiance pour alerter la maison en cas de besoin ou pour faire face à un chien de grande taille qui cherche à le soumettre. Il ne s'en laissera pas conter ! Mais le revers de la médaille est qu'il peut facilement se montrer un peu trop aboyeur : il faudra donc limiter ses ardeurs. Par ailleurs, sa vivacité et sa robustesse en font un concurrent très apprécié en agility. Intelligent, il peut aussi gagner ses galons en obéissance.

Standard

Taille : de 30 à 35 cm au garrot.
Poids : de 5 à 7 kg.
Longévité : 13 ans.

L'anecdote

Un schnauzer, Georges, est un ancien chien de la police à la retraite, qui a été « réquisitionné » avec son maître pour participer à une expérience médicale. Un dermatologue de Floride est parti du principe que l'odorat extrêmement développé du chien lui permet de sauver des vies : alors pourquoi pas détecter des cancers ?
En utilisant les mêmes méthodes que pour la recherche de drogue ou d'explosifs, on a appris à Georges à distinguer des tubes à essai contenant des cellules porteuses de mélanome malin, la forme la plus grave du cancer de la peau. Georges eut un taux de réussite proche des 100 %...

Shiba-inu

• **Historique :** Le shiba existe depuis des temps fort anciens dans l'archipel du Japon. Les spécialistes pensent qu'il serait originaire de Chine et qu'il aurait atteint le Japon via la Corée, suivant les migrations humaines. Son nom signifie tout simplement « petit chien ». Il était utilisé à la chasse de toutes sortes de gibiers, du faisan au sanglier et au chevreuil, en passant par le lièvre et le renard. De 1898 à 1912, des chiens de chasse anglais furent régulièrement importés et malheureusement croisés avec les shibas. Ce qui fait que le shiba de pure race devint rare. Dans les années 1910-1920, les Japonais entreprirent de recenser leurs races canines, et, à partir de 1928, quelques éleveurs essayèrent de sauvegarder les lignées pures pour reconstituer le cheptel. En 1934 un standard est établi, et en 1937 la race est déclarée « monument naturel » pour favoriser sa sauvegarde. Le premier sujet est arrivé en France en 1978.

• **Aspect physique :** Le shiba-inu est un chien de petite taille, bien proportionné et de constitution solide. Son crâne est large et son museau bien droit, modérément épais, va en s'amenuisant. Sa truffe est noire et ses yeux brun foncé sont relativement petits et triangulaires, comme ses oreilles, légèrement inclinées vers l'avant et bien dressées. Le dos du shiba est droit et solide, son rein large et musclé. Ses membres sont courts mais bien développés. Sa queue est attachée haut et portée bien roulée ou recourbée en faucille. Le poil de couverture du shiba est dur et droit, son sous-poil doux et dense. Les couleurs autorisées sont : rouge, sésame, sésame noir, sésame rouge, noir et feu, bringé, blanc, rouge clair, gris clair.

Le shiba-inu est un petit chien bien proportionné.

Réservé, le shiba-inu a un caractère très indépendant.

• **COMPORTEMENT :** Le shiba a un caractère bien particulier, comme tous les chiens japonais. Réservé, il est très indépendant et n'est pas du genre collant ! Il garde toujours ses distances, même s'il aime ses maîtres comme tous les autres chiens. Il montre son affection d'une autre manière, c'est tout ! Toujours très digne, il n'apprécie pas qu'on le fasse tourner en bourrique, et les numéros de cirque ne sont pas pour lui ! Il est néanmoins plutôt facile à vivre et s'adapte facilement à toutes les situations. Son éducation se doit d'être ferme et douce : assez têtu, il faut être inflexible avec lui sous peine de se retrouver vite dépassé par les événements. Très proche des enfants, le shiba sera un merveilleux compagnon de jeux pour eux. Il sera de plus instinctivement leur protecteur. Il peut vivre en appartement comme en maison, mais il a hérité de son passé de chasseur un goût certain pour l'exercice. De belles balades en montagne lui apporteront son comptant de défoulement. Après cela, il se couchera sans complexes sur le canapé devant la cheminée pour récupérer !

• **APTITUDES :** Ses aptitudes particulières le font exceller à la chasse au gibier à poil et à plume tant au Japon qu'en France, où il commence à se faire remarquer dans cette spécialité. Mais attention, ces aptitudes se retournent également contre les autres animaux de compagnie : pas question, donc, d'avoir ensemble un shiba et un lapin. Un chat pourra être éventuellement accepté, à condition qu'il soit élevé en même temps que le shiba. Il est aussi utilisé avec beaucoup d'efficacité comme chien de garde.

STANDARD

Taille : de 35 à 41 cm au garrot.
Poids : de 6 à 10 kg.
Longévité : 13 ans.

Shih-tzu

• **Historique :** Le shih-tzu est originaire de Chine, mais ses ancêtres viennent du Tibet. En effet, au XVIIe siècle, la Chine exerçait son hégémonie sur les pays voisins. Ceux-ci, très soucieux de s'accorder ses bonnes grâces, lui faisaient force cadeaux. En 1643, le Tibet instaura la tradition de donner à l'empereur de Chine quelques-uns de ses plus beaux spécimens de lhassa-apsos. Ceux-ci, gardés et élevés au sein de la cité impériale furent vraisemblablement croisés avec des pékinois. Mais, impérial jusqu'au bout, le shih-tzu gardera sans doute le secret de ses origines ! L'impératrice, grand-mère du dernier empereur, avait en permanence une centaine d'entre eux dans ses chenils... Ils étaient soignés par des eunuques, et des poèmes étaient commandés à leur gloire... La race souffrit énormément de la disparition de l'impératrice et faillit s'éteindre. Puis, à partir de 1928, le shih-tzu commence à sortir de la Cité interdite et se démocratise peu à peu. C'est à partir du milieu des années trente qu'il commencera à apparaître en Europe.

• **Aspect physique :** Le shih-tzu est un petit chien robuste, au poil abondant, au port altier, dont la face ressemble à un chrysanthème. Sa tête est large et ronde, avec un museau épanoui, carré et court. Sa truffe est noire ou marron foncé. Ses yeux sont écartés, grands, sombres et ronds. Les oreilles du shih-tzu sont grandes et portées tombantes, recouvertes d'un poil abondant. Son cou est bien proportionné, joliment galbé. Son dos est droit et sa poitrine large et bien descendue. Sa queue est attachée haut et portée sur le dos où elle forme un panache abondant. Les membres du shih-tzu sont courts et musclés, avec une bonne ossature. Ses pieds sont arrondis, fermes, avec de bons coussinets. Le poil est long, dense et lisse. Une légère ondulation est admise. Toutes les couleurs sont autorisées, une liste blanche en tête et du blanc au bout de la queue sont très prisés.

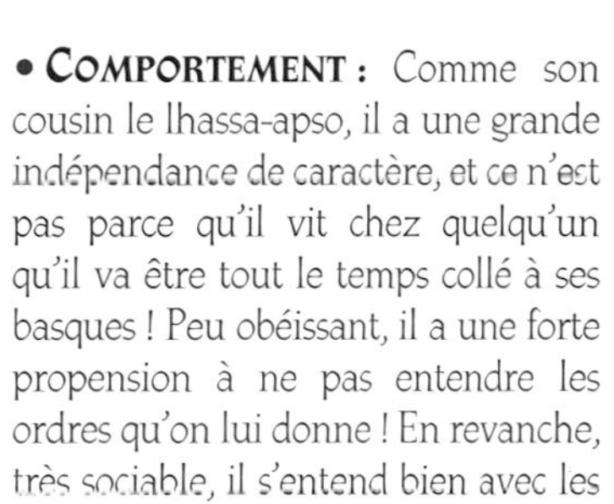

Très indépendant, le shih-tzu n'est pas un champion de l'obéissance !

• **COMPORTEMENT :** Comme son cousin le lhassa-apso, il a une grande indépendance de caractère, et ce n'est pas parce qu'il vit chez quelqu'un qu'il va être tout le temps collé à ses basques ! Peu obéissant, il a une forte propension à ne pas entendre les ordres qu'on lui donne ! En revanche, très sociable, il s'entend bien avec les enfants, à condition qu'ils ne le poussent pas à bout. En effet, il aurait tendance à pincer pour marquer son agacement s'ils lui tirent un peu trop les poils. Le shih-tzu a donc besoin d'une éducation adaptée à son caractère : pas question de céder à tous ses caprices, au risque de ne plus être maître chez soi ! Il faut savoir rester ferme en toutes circonstances avec lui, même si sa bouille craquante vous fait fondre ! Rester constant dans ses interdits et ne pas autoriser de rébellion sera le meilleur moyen d'obtenir une obéissance (relative !) de ce grand indépendant.

• **APTITUDES :** Le shih-tzu a passé des siècles sur la soie des coussins impériaux... et s'en souvient ! Pas question d'aller fourrager dans les buissons, au mieux une petite promenade exploratoire dans un jardin parfaitement entretenu aura son approbation ! Ce n'est pas un aventurier, loin de là, et il se trouve parfaitement heureux en ville et en appartement. Facile à vivre, il adore accompagner son maître partout, et sa bonne éducation le permet sans aucun problème. Sa fourrure abondante lui interdit tout sport canin, car il risquerait de se prendre les pattes dedans en sautant un obstacle !

STANDARD

Taille : moins de 26,5 cm au garrot.
Poids : de 4,5 à 8 kg.
Longévité : 14 ans.

Spitz nain

Syn. : Zwergspitz

Le spitz nain était appelé autrefois loulou de Poméranie.

• **HISTORIQUE :** Autrefois appelé loulou de Poméranie, le spitz nain est le résultat de la miniaturisation du grand spitz allemand, l'une des plus anciennes races de chiens. En effet, le spitz descend directement du chien des tourbières, un animal qui vivait aux côtés de l'homme au néolithique. Au fil des siècles, les spitz se sont développés en Europe et plus particulièrement en Allemagne, aux Pays-Bas, en Belgique et en France. Ils étaient utilisés pour toutes sortes de tâches, depuis la garde des troupeaux jusqu'au trait, en passant par l'accompagnement des diligences. La sélection du spitz de petite taille avait pour but la compagnie, et il fut effectivement fort apprécié par de nombreux rois et reines, entre autres par la reine Victoria qui en développa l'élevage en Angleterre. Bien que l'Angleterre revendique la création du spitz nain, l'Allemagne crée en 1899 un club de race regroupant tous les spitz. En France, le premier spitz nain est inscrit au Livre des origines français en 1895 : il s'appelait... Spitz !

STANDARD

Taille : de 18 à 22 cm au garrot.
Poids : de 1,5 à 3 kg.
Longévité : 14 ans.

• **ASPECT PHYSIQUE :** Le spitz nain séduit par la beauté de sa fourrure et sa petite tête ressemblant à celle du renard. Son crâne est de taille moyenne et son museau va en s'affinant jusqu'à la pointe du nez. Sa truffe est petite et ronde, noire ou brun foncé. Ses yeux sont de taille moyenne, légèrement allongés, de couleur foncée. Ses oreilles sont attachées haut, relativement proches l'une de l'autre, triangulaires et pointues, elles sont toujours portées dressées. Le dos du spitz nain est court, rectiligne et solide. Son rein est large et puissant. Ses membres sont droits et bien musclés. Sa queue est attachée haut et de longueur moyenne. Très touffue, elle est dressée dès sa racine, rabattue vers l'avant et roulée sur le dos. Le poil du spitz nain est double : un poil de couverture long, droit et écarté, et un sous-poil court, épais et ouaté. La tête, les oreilles et les membres ont un poil court et dense ; sur tout le reste du corps il est long et fourni. Le cou et les épaules ont une abondante crinière. Les couleurs autorisées sont, entre autres, le noir, le brun, le blanc, l'orange, le gris loup.

• **COMPORTEMENT :** Toujours en mouvement, le spitz nain n'est pas du genre à rester sagement dans son panier ! Comparativement à d'autres races, il dort très peu et passe une bonne partie de son temps à fureter partout. Toujours sur le qui-vive, le spitz nain a tendance à aboyer beaucoup... : le choisir en connaissance de cause ! Le spitz nain est généralement sociable, et s'entend bien avec les autres chiens. Très proche de ses maîtres, il choisira au sein de la famille celui auquel il s'attachera. Il réservera à cette personne toutes ses attentions, lui vouant une admiration sans bornes. C'est un excellent compagnon de jeu pour les enfants, mais étant assez fragile, ses ébats seront à surveiller. Très intelligent, le spitz nain comprend vite ce que l'on attend de lui et n'est pas très difficile à éduquer.

Le spitz nain existe dans une grande variété de couleurs dont blanc et orange.

• **APTITUDES :** Le spitz nain adore marcher mais s'adapte très bien à la vie en appartement. Pour lui, ce qui est important, c'est d'être proche de son maître. Les grandes balades en forêt le week-end lui suffisent pour se défouler. Mais là, plus rien ne l'arrête ! Il court partout, farfouille dans le moindre fourré à la recherche de quelque petite bestiole à courser. Plutôt sportif pour son gabarit, vif et intelligent, il est un très bon concurrent en agility.

Terrier du Tibet

Le terrier du Tibet a un caractère bien affirmé.

À l'exception de chocolat, toutes les couleurs sont admises.

• **HISTORIQUE :** Si le terrier du Tibet vient bien du Tibet, il n'a rien d'un terrier ! C'est en fait l'une des races les plus pures qui soient, restée isolée pendant des siècles dans ce pays lointain et austère. Ce petit ébouriffé était élevé par les lamas comme par les bergers, pour lesquels il était un auxiliaire précieux. Excellent chien de berger, il conduisait les troupeaux de yacks que les dogues du Tibet protégeaient. Les premiers terriers du Tibet sont arrivés en Europe dans les années vingt, rapportés par le Dr Agnès Greig. Celle-ci les avait reçus en cadeau d'une princesse tibétaine satisfaite de ses soins. L'élevage du terrier tibétain démarra donc en Angleterre. En France, les premiers terriers du Tibet sont inscrits au Livre des origines français en 1948, mais la race ne prendra véritablement souche qu'à la fin des années soixante-dix.

• **ASPECT PHYSIQUE :** Le terrier du Tibet est un chien robuste, de taille proportionnée. Son crâne est moyen, son museau fort et sa truffe noire. Ses yeux sont grands et ronds, assez écartés, de couleur marron foncé. Ses oreilles, de taille moyenne, en forme de V, pendent le long de la tête. Elles portent des poils bien frangés. Le corps du terrier tibétain est bien musclé, ramassé et puissant. Son dos est droit et son rein court. Ses membres sont bien d'aplomb. Sa queue est attachée haut, de longueur moyenne et portée gaiement en formant une boucle au-dessus du dos. Le poil du terrier du Tibet est double, avec un sous-poil fin et laineux et un poil de couverture abondant, fin, long, droit ou ondulé. Toutes les couleurs sont admises sauf chocolat ou foie.

• **COMPORTEMENT :** Volontaire et fier, le terrier du Tibet ne s'en laisse pas conter ! De caractère plutôt dominant, il faut rester ferme en toutes

Standard

Taille : de 32,5 à 40,5 cm au garrot.
Poids : de 8 à 13 kg.
Longévité : 12 ans.

Le terrier du Tibet porte sa queue enroulée sur le dos.

circonstances avec lui, si l'on ne veut pas se retrouver complètement dépassé par les événements. Avec les enfants, ses rapports sont à surveiller, car il accepte mal de se faire tripoter et il a le coup de dent facile. Avec les autres chiens, il n'hésitera pas à monter au créneau à la moindre provocation... En somme, c'est un vrai petit dur !

• **Aptitudes :** Le terrier du Tibet est très bon en agility, même s'il lui est parfois difficile de se plier au règlement. Les lois, il ne connaît pas ! Il faut donc s'armer de patience si l'on veut concourir à un niveau de compétition. Mais le jeu en vaut la chandelle ! Par ailleurs, de grandes balades sont indispensables à son équilibre s'il vit en appartement : c'est un vrai chien de berger, qui a besoin de se dépenser.

L'anecdote

Mike, un terrier du Tibet, est chien de visite au service de gérontologie de l'hôpital Paul Brousse de Villejuif. Il est en liberté ou en semi-liberté quand il passe la journée à l'hôpital : ainsi, il circule, va de l'un à l'autre, joue dans le couloir.
Il apporte de la vie et permet aux personnes âgées de se changer les idées, de communiquer entre elles en parlant du chien. La présence du chien permet de rythmer la semaine et apporte de l'affection et de l'amour à des personnes qui sont souvent très seules. Pour certains, c'est la seule visite de la semaine qui ne soit pas une « blouse blanche » et qui vienne de l'extérieur. Des études ont montré que le fait de caresser un chien permet de faire baisser la tension. De plus, la caresse apporte un plaisir immédiat, un contact dont les patients sont souvent privés en milieu hospitalier.

Le terrier du Tibet sait tempérer ses ardeurs avec les personnes âgées.

Whippet

La tête du whippet est longue et sèche.

• **HISTORIQUE :** Le whippet a été créé par des mineurs anglais de la région du Northumberland à la fin du XIXe siècle. Ceux-ci, amateurs de courses, ne pouvaient s'offrir des greyhounds, trop chers à entretenir. Ils cherchèrent donc à sélectionner un chien plus petit et moins coûteux. Ils croisèrent des greyhounds avec des terriers et obtinrent le whippet. La race est arrivée en France au début du XXe siècle.

Le whippet est musclé et élégant.

• **ASPECT PHYSIQUE :** Le whippet représente l'équilibre de la puissance musculaire et de la force alliées à l'élégance des lignes. Sa tête est longue et sèche, allant en s'effilant vers le museau. Sa truffe est généralement noire, toutefois elle peut être d'une couleur en harmonie avec celle de la robe. Ses yeux sont ovales et brillants. Les oreilles du whippet sont en forme de rose, petites et de texture fine. Son dos est large et ferme, plutôt long, avec un rein fort et puissant. Ses membres sont droits et bien d'aplomb, fort et très musclés. La queue du whippet est longue, effilée, sans franges. Elle est portée en formant une légère courbe, mais jamais au-dessus de la ligne du dos. Le poil du whippet est fin, court et serré, de toutes les couleurs et combinaisons de couleurs.

L'ANECDOTE

« Une levrette blanche, au museau de gazelle,
Au poil ondé de soie, au cou de tourterelle,
À l'œil profond et doux comme un regard humain :
Elle n'avait jamais mangé que dans ma main,
Répondu qu'à ma voix, couru que sur ma trace,
Dormi sur mes pieds, ni flairé que ma trace. »
Jocelyn, Alphonse de Lamartine.

Le whippet est taillé pour la course.

• **COMPORTEMENT :** Comme tous les lévriers, le whippet a une sensibilité à fleur de peau. De caractère réservé, ne vous attendez pas à des gros câlins ou à des démonstrations d'affection à n'en plus finir, ce n'est pas son style ! En revanche, quand il sera bien habitué à vous et à votre maison, il vous vouera une fidélité éternelle. Il aura même tendance à s'approprier le canapé, s'y couchant de tout son long, à la manière d'un chat. Plutôt sociable, il accueillera les étrangers avec circonspection, attendant de les connaître mieux pour se laisser approcher. En revanche, il ne s'entend pas du tout avec les chats et a des rapports assez distants avec ses congénères. Hyper sensible, le whippet doit être éduqué avec une main de velours... dans un gant de velours ! Des cris risqueraient de le traumatiser à vie : il faut donc lui apprendre les bonnes manières avec patience et douceur.

• **APTITUDES :** Le whippet est circonspect et découvre petit à petit son univers avec une extrême précaution ; il ne cherchera pas à jouer les aventuriers... sauf s'il aperçoit quelque chose susceptible d'être poursuivi ! En effet, dès son plus jeune âge le whippet a l'instinct de poursuite : il est donc important de bien limiter son espace pour qu'il ne risque pas de sortir du jardin à la suite de quelque papillon ou chat aventureux ! Si vous voulez faire des courses avec votre whippet, ne le mettez pas à l'entraînement intensif avant qu'il n'ait atteint sa taille adulte. À partir de cinq mois, le maître peut emmener son lévrier en promenade à vélo tous les jours et lui faire parcourir de 5 à 8 km, à une vitesse approchant les 10 km/h. Il est essentiel de s'adapter au rythme de son chien et de moduler l'entraînement en fonction de celui-ci.

Très sensible, il doit être éduqué avec douceur.

STANDARD

Taille : de 44 à 51 cm au garrot.
Poids : de 12 à 14 kg.
Longévité : 14 ans.

Les chiens

DE CHASSE

Auxiliaires précieux, les chiens de chasse sont auprès de l'homme depuis des millénaires. Leurs aptitudes ont été depuis des siècles améliorées grâce aux sélections. Leur intelligence, leur intuition, leur instinct ont permis bien souvent à l'homme de survivre dans les conditions les plus difficiles. Certaines races, particulièrement douces, se sont rapprochées de l'homme, quittant peu à peu les chenils pour le confort des tapis. Aujourd'hui, la séparation des lignées de travail et de compagnie renforce cette tendance : au sein d'une même race, l'on peut trouver des chasseurs hors pair et de merveilleux compagnons. Les chiens de chasse sont généralement appréciés des gens qui aiment la nature pour leur petit côté rustique et facile à vivre.

Beagle

Les beagles sont d'excellents chasseurs.

• **Historique :** D'origine britannique, l'histoire du beagle est difficile à retrouver, car jusqu'à l'époque moderne, le terme beagle désignait n'importe quel chien de chasse à courre du lièvre, sans distinction de type, tout comme les termes français basset ou briquet. C'est essentiellement à partir du XVIe siècle que l'on peut suivre la trace du beagle. En effet, les historiens rapportent que la reine Elisabeth Ire les appréciait beaucoup et possédait une meute réputée. Mais jusqu'à la fin du XIXe siècle, la race ne sera pas véritablement fixée, car chaque équipage de chasse pratiquait sa propre sélection suivant ses goûts et préférences... Cet état de fait s'améliora quelque peu avec la création, en 1890, du Beagle Club (qui regroupait chasseurs et amateurs de chiens de compagnie), et en 1981, avec la naissance de l'Association des maîtres d'équipages de harriers et de beagles, qui elle, ne se souciait que de chasse... Ce qui conduisit à la séparation de deux types, chasse et compagnie, qui perdure encore aujourd'hui.

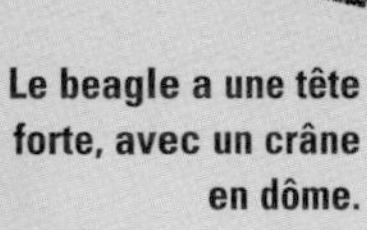

Le beagle a une tête forte, avec un crâne en dôme.

• **Aspect physique :** Le beagle est un chien vigoureux et compact, de bonne constitution. Il a une tête puissante, avec un crâne légèrement en dôme. Ses yeux sont brun foncé ou noisette, assez grands. Ses oreilles sont fines, longues, attachées bas, leur extrémité est arrondie. Les membres antérieurs du beagle sont bien droits, ses postérieurs bien musclés. Sa queue épaisse, de longueur modérée, est attachée haut et portée relevée mais pas enroulée sur le dos. Son poil est court, dense et résistant aux intempéries. Ses couleurs sont toutes celles habituellement reconnues pour les chiens courants.

• **Comportement :** Bien que le beagle soit assez indépendant et prêt à tout oublier pour suivre une bonne odeur, sa nature affectueuse et son absence totale d'agressivité en font un chien de compagnie très apprécié. Très attaché à son maître, le beagle est un chien relativement facile à éduquer. Comme tout chien de chasse, il a tendance à fuguer et a besoin de beaucoup d'exercice pour supporter la vie en ville. Mais son caractère attachant compense bien ses petits défauts !

Très doux, le beagle est un excellent chien de compagnie.

• **Aptitudes :** Extraordinaire chien de chasse, le beagle est toujours utilisé pour la chasse à courre du petit gibier. Très résistant, il poursuit sa proie en aboyant d'une voix basse et profonde qui permet aux chasseurs de l'entendre de très loin. Comme chien de compagnie, il sera un compagnon agréable pour les promenades dans la nature et plus particulièrement en forêt, son terrain de prédilection !

L'anecdote

Lyndon B. Johnson, président des États-Unis de 1965 à 1968, avait un beagle qu'il avait appelé Little Beagle Johnson, déclarant en boutade qu'il trouvait très pratique que son chien ait les mêmes initiales que lui, car cela faisait des économies.

Ses chiens causèrent un effondrement sans précédent de sa cote de popularité : en effet, lors d'une conférence de presse, il les attrapa par les oreilles... Ce qui provoqua un véritable tollé chez ses concitoyens, obligeant même son prédécesseur, Harry Truman, à monter au créneau pour lui venir en aide. À la mort de Little Beagle Johnson, son propriétaire le fit incinérer et conserva ses cendres sur le dessus du réfrigérateur de la cuisine à la Maison-Blanche...

Standard

Taille : de 33 à 40 cm au garrot.
Poids : de 10 à 15 kg.
Longévité : 13 ans.

Cocker

Syn. : English cocker spaniel

• **HISTORIQUE :** L'histoire de la famille de chiens (les spaniels) à laquelle appartient le cocker est très difficile à reconstituer. En effet, ces races sont le produit de nombreux croisements opérés depuis l'Antiquité pour améliorer leurs aptitudes. On sait seulement que le chien d'Oysel, race aujourd'hui disparue et sans doute originaire d'Espagne, est l'un des ancêtres du cocker. Utilisés depuis le Moyen Âge, les spaniels ont été sélectionnés en Grande-Bretagne pour lever le gibier à plume (en anglais, *cock* est un oiseau mâle), en fonçant sur lui pour le faire s'envoler afin que le chasseur puisse le tirer. Jusqu'au XIXe siècle, aucune distinction n'était faite entre les différentes variétés de spaniels, qui étaient nombreuses. Ce n'est qu'en 1883 que le cocker fut considéré comme une race à part entière.

Le cocker est un grand sensible à éduquer avec douceur.

Le cocker a un museau carré et de longues oreilles.

• **ASPECT PHYSIQUE :** Le cocker est un chien vigoureux, harmonieux et compact. Son museau est carré, avec un stop bien marqué. Ses yeux vont du noisette foncé au brun foncé. Ses oreilles sont grandes, attachées bas, garnies de longues franges ondulées et soyeuses. Le corps du cocker est fort et compact, avec des membres droits et courts. Son arrière-train doit être large, bien arrondi et très musclé, avec des cuisses fortes. Sa queue, attachée bas, est écourtée et frétille en permanence dans l'action. Le poil du cocker est plat, de texture soyeuse et de couleurs variées.

• **COMPORTEMENT :** Longtemps le cocker (et plus particulièrement les sujets dorés) a pâti d'une réputation d'agressivité. Celle-ci était le revers de médaille de sa popularité dans les années soixante-dix : très à la mode, il fut produit en masse par des éleveurs peu scrupuleux, qui pratiquèrent l'élevage consanguin. L'agressivité en fut la conséquence, très difficile à éradiquer dans une race. Grâce aux efforts et à la politique de sélection du club, cette tare a aujourd'hui complètement disparu, laissant la place à des sujets équilibrés et affectueux. Très proche de ses maîtres, le cocker est un grand sensible qu'il faut éduquer avec douceur et compréhension. Il est très espiègle et fait un parfait compagnon pour la famille.

• **APTITUDES :** Chien d'extérieur dans l'âme, le cocker ne pourra s'adapter à la vie en ville qu'à la condition de pouvoir faire de grandes balades le week-end pour se dépenser. Comme il a tendance à l'embonpoint, il est important de lui faire faire un exercice régulier ! Toujours utilisé à la chasse, il a su développer de nombreuses autres qualités : il participe avec succès aux concours d'agility et d'obéissance et sera un compagnon parfait pour les promenades dominicales !

STANDARD

Taille : de 38 à 41 cm au garrot.
Poids : de 12 à 14,5 kg.
Longévité : 13 ans.

L'ANECDOTE

Flush était un cocker qui appartenait à Elisabeth Barret Browning, une grande poétesse anglaise qui vécut pendant la première moitié du XIXe siècle. Presque invalide, déprimée par la mort de son frère, la jeune femme vivait quasiment recluse quand une amie lui offrit Flush. Le chien redonna le goût de vivre à la poétesse, qui entreprit de lui apprendre des tours, et consacra une partie de son temps à l'observer et à relater ses faits et gestes dans sa correspondance. En septembre 1843, le petit chien fut « dognappé » par un gang qui s'était spécialisé dans ce commerce lucratif. Après de difficiles négociations, Elisabeth put récupérer son chien contre le paiement de sept souverains.

Le cocker est un chien de chasse hors pair.

Teckel

• **Historique :** Dès le XIVe siècle, on trouve dans des textes allemands le terme *Dachshund*, le nom allemand du teckel, qui signifie littéralement « chien de blaireau ». La chasse du blaireau était effectivement la tâche première du teckel. Celui-ci serait le résultat de la sélection de sujets bassets parmi les chiens courants, au départ une malformation qui a été encouragée pour les besoins de la chasse sous terre. Le teckel descendrait donc de différents chiens courants allemands affectés d'achondroplasie, croisés sans doute avec des pinschers pour obtenir la variété la plus ancienne de teckels, celle à poil ras. Le teckel à poil long est le résultat du croisement du teckel à poil ras avec des petits épagneuls allemands. Quant au teckel à poil dur, il doit l'apparence que nous lui connaissons actuellement d'abord à l'ancien type de schnauzer auquel il a été accouplé, puis à des apports de terriers anglais, sans doute dandie-dinmont et scottish. Le premier standard du teckel, race pourtant fort ancienne, ne date que du 8 mai 1925.

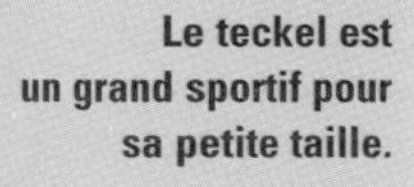

Le teckel est un grand sportif pour sa petite taille.

• **Aspect physique :** Il existe trois tailles de teckels : standard, nain et kaninchen. Le teckel est un chien au corps long mais très compact. Sa tête est allongée et s'affine progressivement jusqu'à la truffe. Son museau est étroit, il se termine par une truffe sèche, aux narines bien ouvertes, d'une couleur qui va du noir au brun suivant celle de la robe. Les yeux du teckel sont de taille moyenne, de forme ovale et leur couleur varie du brun-rouge au brun-noir selon les variétés, à l'exception des gris et arlequin pour lesquels on autorise les yeux vairons (de deux couleurs différentes, dont le bleu). Ses oreilles sont attachées haut et bien en arrière, elles sont plates et arrondies au bout. Les membres du teckel sont très courts mais très musclés, pour les besoins initialement de la chasse sous terre. Le poil du teckel peut être ras, dur ou long, suivant la variété. Les couleurs autorisées sont, pour les poils ras et longs, unicolores : rouge, jaune-rouge, jaune ; bicolores :

La variété à poil ras est la plus ancienne des variétés de teckels.

noir, marron, gris, feu ; arlequin : fond de la robe brun clair, gris clair, avec des taches brun foncé, jaune-rouge ou noir. Chez le teckel à poil dur, toutes les couleurs sont admises.

Le teckel à poil long descend de petits épagneuls allemands.

• **COMPORTEMENT :** Assez têtu, voire franchement cabochard, le teckel ne s'en laisse pas imposer ! Il a un caractère bien trempé, qu'il faut savoir canaliser : il a donc besoin d'un maître qui saura se montrer ferme. Car, malgré sa petite taille, ce n'est pas une peluche ! Très vif et énergique, il met de l'animation là où il passe, et son gabarit lui permet de se faufiler partout ! Pas toujours très sociable, il peut se montrer réservé, tant avec les humains qu'avec ses congénères.

• **APTITUDES :** Toujours utilisé pour la chasse sous terre, le teckel est un grand sportif dans un petit gabarit. Même si ses petits membres ne lui permettent pas de pratiquer des sports canins, il sera toujours partant pour une balade !

STANDARD

Taille : de 15 à 30 cm au garrot.
Poids : de 3,5 à 9 kg.
Longévité : 13 ans.

L'ANECDOTE

Heidi, une petite femelle teckel appartenait à Barbara et Nancy Phipps au Canada. Barbara, ayant lu qu'un homme avait enseigné le calcul à son fox-terrier, se tourna vers Heidi et lui demanda de compter jusqu'à trois. À sa grande surprise, la chienne aboya trois fois ! La chienne eut autant de succès avec d'autres nombres et fut vite dressée. Barbara demandait à Heidi d'aboyer le nombre auquel elle pensait : elle obtenait environ 80 % de réussite !

Le teckel a été croisé avec des schnauzers et des terriers pour obtenir la variété à poil dur.

LES CHIENS

L

Les chiens de berger assistent l'homme dans ses tâches pastorales depuis des siècles. La survie de plusieurs familles dépendait bien souvent de la capacité de ces animaux à conduire les bêtes jusqu'à leur pâture ou jusqu'au marché pour y être vendues. Vifs, agiles, infatigables, les chiens de berger étaient

DE BERGER

les biens les plus précieux des paysans. Une fois leur tâche accomplie, ils rentraient à la ferme où ils prenaient un repos bien mérité. Très proches de l'homme, affectueux, toujours désireux de plaire et d'obéir à leur maître, les chiens de berger ont peu à peu quitté les cours de ferme pour une vie plus citadine. Ils sont aujourd'hui

de merveilleux compagnons, particulièrement adaptés à la vie de famille. Ils sont généralement appréciés par les sportifs pour leur vitalité.

Shetland

Syn. : Berger des Shetland

Bien que de petite taille, le shetland a un physique harmonieux.

• **Historique :** Originaire des îles Shetland, au nord de l'Écosse, ce petit berger présente de grandes ressemblances avec le colley. En fait, tous les animaux des îles Shetland sont de petite taille : poneys, moutons et chiens. Il semblerait donc que des colleys aient été introduits dans les îles, puis se seraient accouplés avec des chiens locaux, aujourd'hui disparus. Au début du XXe siècle, des éleveurs croisèrent les shetlands de l'époque avec des spitz et probablement des border-collies, une race de chiens de berger écossais. Le shetland, tel que nous le connaissons, était né. La fondation du club de race, en 1908, officialisa la naissance de ce chien de berger de poche !

• **Aspect physique :** Le shetland a un physique harmonieux, preuve qu'il n'est pas une version miniature du colley, mais bien une race à part entière. Sa tête est fine, avec un crâne plat. Ses yeux sont disposés en oblique et en forme d'amande. Ils peuvent être brun foncé ou, chez les shetlands de couleur merle, bleus ou vairons (l'un des yeux est bleu ou taché de bleu). Ses oreilles sont petites, et quand le chien est au repos elles sont portées en arrière. Mais, quand il est attentif, elles sont ramenées vers l'avant et portées semi-dressées, les pointes retombant vers l'avant. Les membres du shetland ont une ossature forte et sont bien musclés. Sa queue est attachée bas et portée légèrement relevée. Son poil est double, avec un poil de couverture long, droit et dur, et un sous-poil doux, court et serré. Les couleurs autorisées sont zibeline, tricolore, bleu merle, noir et blanc, noir et feu.

Doux et sensible, le shetland ne supporte pas la solitude.

• **COMPORTEMENT :** Particulièrement intelligent, facile à éduquer, joueur et gai, le shetland est un compagnon très agréable. C'est un grand chien dans un petit gabarit : très « berger », il ne se laissera pas marcher sur les pattes et surveillera tout son petit monde avec la plus grande attention. Il est très affectueux et proche de sa famille… alors gare à qui s'approche ! Il montrera son mécontentement, regroupera ses ouailles et les « protégera » contre l'intrus ! Attentionné avec les enfants, il passera volontiers des heures à jouer avec eux. Pas nerveux ou agressif pour deux sous, on peut en toute sécurité laisser un shetland avec des enfants : il les surveillera et les protégera tel son troupeau ! Toujours en action, le shetland a besoin de se dépenser pour être heureux. Il s'adapte très bien à la vie en ville à la condition toutefois de pouvoir profiter de sorties régulières dans la nature où il pourra courir tout son soûl ! Doux et sensible, le shetland ne supporte pas les cris ou la brutalité, ni d'être laissé livré à lui-même trop longtemps. Il s'entend généralement bien avec ses congénères.

• **APTITUDES :** Très proche de son maître, le shetland cherche toujours à lui faire plaisir… C'est donc un vrai bonheur que de l'éduquer et de pratiquer avec lui des sports canins. Sa vivacité et sa petite taille lui permettent de faire des étincelles en agility. En obéissance, il brille, cela va de soi ! Quant au troupeau, certains s'amusent à le dresser à la conduite de moutons… et se piquent au jeu ! Le shetland n'a rien perdu de ses aptitudes premières, et même s'il n'est plus utilisé aujourd'hui comme chien de berger, il pourra s'amuser en compagnie de son maître dans les concours sur troupeau.

STANDARD

Taille : de 33 à 39,5 cm au garrot.
Poids : de 7 à 8 kg.
Longévité : 13 ans.

Le shetland monte souvent sur les plus hautes marches du podium en agility.

Welsh-corgi-cardigan et welsh-corgi-pembroke

• **HISTORIQUE :** Au XIIe siècle au pays de Galles, les fermiers vendaient leur bétail fort loin de leur village, parfois même jusqu'à Londres, et les corgis leur étaient bien utiles pour guider les troupeaux de bovins jusqu'aux marchés. L'industrialisation ayant mis un terme à leur travail de conducteurs de troupeaux, ils se reconvertirent alors en chiens de compagnie ou en chiens de ferme. À la fin du XIXe siècle, l'on disait qu'au pays de Galles, chaque ferme avait un ou deux corgis. La première exposition canine où des corgis furent présentés eut lieu à Bancyfelin, en 1892. En décembre 1925, un grand pas dans la reconnaissance des corgis fut fait, avec la fondation du Corgi Club. En 1934, le Kennel Club reconnut les cardigans et pembrokes séparément.

• **ASPECT PHYSIQUE :** Les yeux du cardigan sont assez écartés, de couleur sombre. Ses oreilles sont grandes, larges à leur base et arrondies à leur extrémité. Les membres du cardigan sont courts. Sa queue est modérément longue. Son poil est court ou moyen, avec un bon sous-poil. Toutes les couleurs sont autorisées, mais le blanc ne doit pas dominer. Le pembroke est plus léger que le cardigan. Sa tête est fine et ressemble à celle du renard. Ses yeux marron sont ronds. Ses oreilles sont arrondies, de taille moyenne. Ses membres sont courts et aussi droits que possible. Son poil est de longueur moyenne, avec un sous-poil dense. Les couleurs autorisées doivent être uniformes : rouge, fauve charbonné, fauve, noir et feu, avec ou sans panachures blanches aux membres, au poitrail et au cou.

Le pembroke est devenu célèbre grâce à la reine d'Angleterre.

• **COMPORTEMENT :** Robustesse, vivacité, sociabilité sont quelques-unes des caractéristiques des corgis. Très curieux, ils aiment explorer de nouveaux lieux et affronter de nouvelles situations. Énergiques, pleins de vie, ils sont toujours partants

L'ANECDOTE

En 1933, le duc d'York, futur George VI, acheta le premier pembroke de la famille royale d'Angleterre, Rozavel Golden Eagle, surnommé Dookie. Il devint vite le chouchou de la famille et jouait sans fin avec les deux filles, dont la future reine Elisabeth. Mais il avait un caractère peu compatible avec les honneurs de sa charge de favori du roi ! En effet, il avait une fâcheuse tendance à mordre les talons des visiteurs, et le roi préférait l'éloigner quand des hôtes de marque lui rendaient visite, de peur qu'il n'ait une attitude peu respectueuse envers eux...

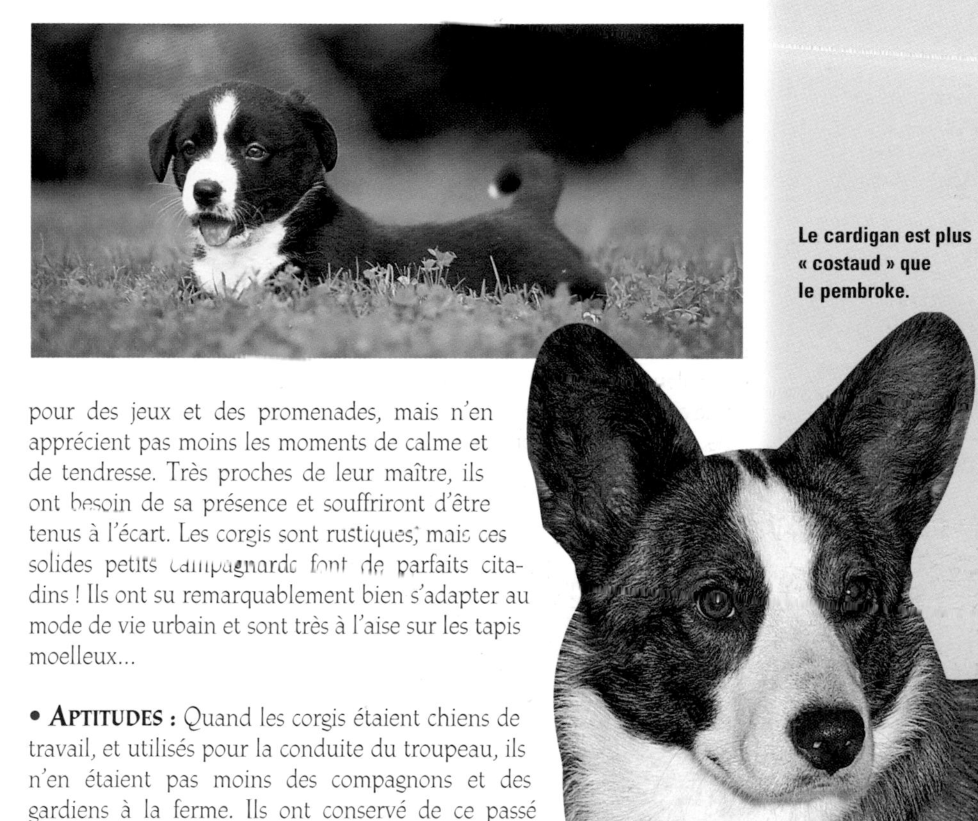

Le cardigan est plus « costaud » que le pembroke.

pour des jeux et des promenades, mais n'en apprécient pas moins les moments de calme et de tendresse. Très proches de leur maître, ils ont besoin de sa présence et souffriront d'être tenus à l'écart. Les corgis sont rustiques, mais ces solides petits campagnards font de parfaits citadins ! Ils ont su remarquablement bien s'adapter au mode de vie urbain et sont très à l'aise sur les tapis moelleux...

• **APTITUDES :** Quand les corgis étaient chiens de travail, et utilisés pour la conduite du troupeau, ils n'en étaient pas moins des compagnons et des gardiens à la ferme. Ils ont conservé de ce passé une rapidité, une ténacité et un certain désir de satisfaire leur maître.
Toutes ces caractéristiques font des corgis des concurrents parfaits pour certains sports canins, tels l'obéissance ou l'agility.

STANDARD

Taille : environ 30 cm au garrot pour le cardigan et de 25,4 à 30,5 cm pour le pembroke.
Poids : de 16 à 19 kg pour le cardigan et de 10 à 12 kg pour le pembroke.
Longévité : 13 ans.

Index

CRÉDITS PHOTOGRAPHIQUES

Avrillon/NATURE : 20-21 – **Axel/JACANA** : 93 – **Bensoussan/NATURE** : 4 bg, 24 h, 27 b, 27 h, 38 h, 40, 41 b, 42, 46, 49 h, 53 b, 58 b, 74 b, 79 b, 95 h, 96 b, 100, 105 b, 106 h, 107 h, 120 b, 121 m, 125 h, 127 b – **Béroule/COGIS** : 101 b – **Berthon/NATURE** : 43 b, 43 h, 44, 48 b, 48 h, 112 b, 113 b, 113 h – **Bidard/JACANA** : 17 – **Buttin/NATURE** : 22, 31 h, 33 bg, 34 b, 120 h – **Chaumeton-Boris/NATURE** : 5 b, 55 b – **Claye/JACANA** : 99 b – **Ferrero/NATURE** : 45, 52 b, 66 b, 66 h, 112 h, 121 h – **Français/COGIS** : 28, 29 b, 58 h, 63, 72, 88 h, 98, 102, 106 b, 107 b, 124, 127 h – **Gauzargues/COGIS** : 35 b, 35 h, 50 b, 50 h, 51 – **Grospas/NATURE** : 99 h – **Hermeline/COGIS** : 24 b, 38 b, 41 h, 47 b, 47 h, 55 h, 62, 64, 75, 79 h, 81, 82 b, 82 h, 87 h, 88 b, 101 h – **Hobby/JACANA** : 14 – **Huttin/COGIS** : 96 h – **Labat/COGIS** : 25, 97, 104 b, 104 h, 105 h, 125 b – **Lanceau/COGIS** : 26, 29 h, 49 b, 59, 60, 74 h, 85 b, 85 h, 103 – **Le Gall/NATURE** : 4 bd, 12, 33 bd, 33 h, 34 h, 36 b, 36 h, 37 b, 37 h, 114, 116 b, 116 h, 116 m, 117 b, 117 h, 118 b, 118 h, 119 b, 119 h, 119 m, 121 b – **Lemoine/JACANA** : 92 – **Léon/NATURE** : 4 h, 4 mg, 5 h, 6-7, 8, 10, 15, 30, 31 bd, 31 bg, 52 h, 53 h, 56, 61 b, 61 h, 65, 67, 68 h, 70 b, 70 h, 71 b, 71 hd, 71 hg, 73, 76 b, 76 h, 77 b, 77 h, 78 b, 78 h, 80, 84, 86, 87 b, 89 b, 89 h, 90, 94 h, 108, 109 b, 109 h, 110 b, 110 h, 111 b, 111 h, 122, 126 – **Mero/JACANA** : 39 h – **NATURE** : 32, 69, 91 – **Samba/NATURE** : 54 b, 54 h, 68 b, 94 m, 95 b – **Schanz/JACANA** : 11 – **Trouillet/JACANA** : 39 b, 83.

Achevé d'imprimer en août 2000 – Clerc S.A. – 18200 Saint-Amand-Montrond